Coletânea de Preces Espíritas

Coletânea de Preces Espíritas

Extraído de *O Evangelho Segundo o Espiritismo* (Petit Editora, 1997)

Copyright by © Petit Editora e Distribuidora Ltda. 2005
9-02-22-5.000-35.000

Direção editorial: **Ronaldo A. Sperdutti**
Assistente editorial: **Dirce Yukie Yamamoto**
Chefe de arte: **Marcio da Silva Barreto**
Tradução: **Renata Barboza da Silva**
Simone T. Nakamura Bele da Silva
Diagramação: **Ricardo Brito**
Impressão: **AR Fernandez Gráfica**

Ficha catalográfica elaborada por
Lucilene Bernardes Longo – CRB-8/2082

Kardec, Allan, 1804-1869.
Coletânea de preces espíritas / Allan Kardec ; tradução de Renata
Barboza da Silva e Simone T. Nakamura Bele da Silva. – São Paulo :
Petit, 2005.

ISBN 85-7253-132-7

1. Espiritismo 2. Preces espíritas I. Título

CDD: 133.9

Direitos autorais reservados.
É proibida a reprodução total ou parcial, de qualquer forma
ou por qualquer meio, salvo com autorização da Editora.
(Lei nº 9.610, de 19 de fevereiro de 1998.)
Traduções para outro idioma,
somente com autorização por escrito da Editora.
Impresso no Brasil.

Prezado leitor(a),

Caso encontre neste livro alguma parte que acredita que vai interessar
ou mesmo ajudar outras pessoas e decida distribuí-la por meio da
internet ou outro meio, nunca deixe de mencionar a fonte, pois assim
estará preservando os direitos do autor e conseqüentemente contri-
buindo para uma ótima divulgação do livro.

ALLAN KARDEC

Coletânea de Preces Espíritas

Av. Porto Ferreira, 1031 - Parque Iracema
CEP 15809-020 - Catanduva/SP
17 3531.4444

www.petit.com.br | petit@petit.com.br
www.boanova.net | boanova@boanova.net

ALLAN KARDEC

Allan Kardec ou Hippolyte Léon Denizard Rivail nasceu em Lyon, na França, em 3 de outubro de 1804, e desencarnou em 1869.

Antes de se dedicar à codificação do Espiritismo, exerceu, durante 30 anos, a missão de educador. Foi discípulo de Pestalozzi, tendo publicado diversas obras didáticas.

A partir de 1855 começou a estudar os fenômenos das manifestações dos espíritos que se revelavam pelas mesas girantes, grande atração pública da época na França.

Em 1858, fundou a Sociedade Parisiense de Estudos Espíritas e a *Revista Espírita*, lançando na prática o Espiritismo, não apenas em Paris, mas em toda a França, alcançando a Europa inteira e todo o mundo, incluindo a América Latina.

Alguns anos depois de sua morte, foi editado o livro *Obras Póstumas*, publicado por seus fiéis continuadores, contendo, entre outros escritos inéditos, a sua própria iniciação e base para a história do Espiritismo no mundo.

OBRAS COMPLETAS DE ALLAN KARDEC

- **O LIVRO DOS ESPÍRITOS** — 1857
  Princípios da Doutrina Espírita no seu aspecto filosófico.

- **REVISTA ESPÍRITA** — 1858
  Publicada mensalmente de 1858 a 1869, sob a direção de Kardec, constituindo hoje uma coleção, em 12 volumes, com todas as edições originais deste período.

- **O QUE É O ESPIRITISMO?** — 1859
  Resumo dos princípios da Doutrina Espírita e respostas às principais objeções.

- **O LIVRO DOS MÉDIUNS** — 1861
  Teoria dos fenômenos espíritas. Aspecto científico-experimental e prático da Doutrina.

- **O ESPIRITISMO EM SUA EXPRESSÃO MAIS SIMPLES** — 1862
  Exposição sumária dos ensinamentos dos Espíritos.

- **O EVANGELHO SEGUNDO O ESPIRITISMO** — 1864
  Ensinamentos morais do Cristo, sua concordância com o Espiritismo e a revelação da natureza religiosa da Doutrina.

- **O CÉU E O INFERNO** — 1865
  A Justiça Divina segundo o Espiritismo.

- **A GÊNESE** — 1868
  Os milagres e as predições segundo o Espiritismo.

- **VIAGEM ESPÍRITA DE 1862**
  Série de Discursos de Allan Kardec, proferidos durante visita às cidades do interior da França, em sua primeira viagem a serviço do Espiritismo.

- **OBRAS PÓSTUMAS** — 1890
  Escritos e estudos do Codificador com anotações preciosas sobre os bastidores da fundação do Espiritismo.

Sumário

Introdução **9**

1 Preces em geral 15

   Oração Dominical *15*

   Reuniões Espíritas *29*

   Pelos Médiuns *34*

2 Preces para si mesmo 41

   Aos anjos guardiães e aos
     Espíritos protetores *41*

   Para afastar os maus Espíritos *46*

   Para corrigir um defeito *48*

Allan Kardec

Para resistir a uma tentação 51

Ação de graças pela vitória obtida
sobre uma tentação 53

Para pedir um conselho 54

Nas aflições da vida 55

Ação de graças por um favor
obtido 57

Ato de submissão e de resignação 60

Diante de um perigo iminente 63

Ação de graças após ter escapado
de um perigo 64

Na hora de dormir 65

Na previsão da morte próxima 67

3 Preces pelos encarnados 72

Por alguém que esteja em aflição 72

Ação de graças por um benefício
concedido aos outros 74

Por nossos inimigos e por
aqueles que nos querem mal 75

Ação de graças pelo bem
concedido aos nossos inimigos 77

Pelos inimigos do Espiritismo 78

Coletânea de Preces Espíritas

Prece por uma criança que acaba
de nascer 84

Por um agonizante 87

4 Preces pelos desencarnados 90

Por alguém que acaba de
desencarnar 90

Pelas pessoas a quem tivemos
afeição 96

Pelas almas sofredoras que
pedem preces 99

Por um inimigo morto 102

Por um criminoso 103

Por um suicida 105

Pelos Espíritos arrependidos 107

Pelos Espíritos endurecidos 109

5 Preces pelos doentes e
obsediados 115

Pelos doentes 115

Pelos obsediados 119

Campanha Evangelho no Lar 130

Introdução

Os Espíritos sempre disseram: "A forma não é nada, o pensamento é tudo. Cada um deve orar conforme suas convicções e do modo que mais lhe agrade, e que mais vale um bom pensamento do que muitas palavras que não tocam o coração".

Os Espíritos nunca determinaram uma fórmula-padrão de preces; quando a dá, é apenas para fixar as idéias e para chamar a atenção sobre alguns princípios da Doutrina Espírita. Tem também como objetivo ajudar as pessoas que sentem dificuldade em expressar suas idéias, pois há quem pense não ter orado se seus pensamentos não foram bem formulados.

A coletânea de preces contidas neste capítulo é uma seleção dentre as que foram ditadas pelos Espíritos em diferentes ocasiões, em termos apropriados a certas idéias ou a casos especiais; mas pouco importa a forma se o pensamento fundamental é o mesmo. O objetivo da prece é o de elevar nossa alma a Deus; a diversidade das fórmulas não deve estabelecer nenhuma diferença entre os que nele crêem e, ainda menos, entre os espíritas, pois Deus aceita todas quando são sinceras.

Não se deve considerar esta seleção como um formulário único, mas apenas como uma variedade entre as instruções que os Espíritos dão. É uma aplicação dos princípios da moral evangélica desenvolvidos neste livro, um complemento dos seus ditados sobre os deveres para com Deus e o próximo, em que são lembrados todos os princípios da Doutrina Espírita.

O Espiritismo reconhece como boas as preces de todos os cultos quando ditas

Coletânea de Preces Espíritas

de coração, e não da boca para fora. Não impõe e nem censura nenhuma. Deus é infinitamente grande, conforme a Doutrina Espírita nos ensina, para não ouvir a voz que implora ou Lhe canta louvores, quer o faça de um ou de outro modo. *Todo aquele que lançasse a maldição contra as preces que não fazem parte de seu formulário provaria que desconhece a grandeza de Deus.* Acreditar que Deus se apegue a uma fórmula é atribuir-Lhe a pequenez e as paixões da Humanidade.

Uma condição essencial da prece, conforme nos diz o apóstolo Paulo[1], é a de ser inteligível, bem compreendida, a fim de que possa ser sentida com a alma; precisa ser dita numa língua entendida por aquele que ora. Há preces em linguagem comum que não dizem muito mais ao pensamento do que se fossem feitas numa linguagem desconhecida e que, por isso mesmo, não tocam o coração. As raras idéias que encerram são, muitas vezes, sufocadas pela

---

1. Veja *O Evangelho Segundo o Espiritismo*, de Allan Kardec, Cap. 27:16. São Paulo: Petit Editora (Nota do Editor).

grande quantidade de palavras e pelas idéias místicas da linguagem.

As principais qualidades da prece são: a clareza, simplicidade e precisão, sem excesso de palavras, nem adjetivações inúteis que apenas são enfeites de brilho falso; cada palavra deve ter sua importância, revelar uma idéia, tocar a alma, *deve nos fazer pensar.* Somente com essa condição a prece pode atingir seu objetivo; de outro modo, *é apenas palavreado.* Notai com que ar de distração e desinteresse as preces são ditas na maioria dos casos. Vêem-se lábios que se movimentam, mas, na expressão do rosto e mesmo no som da voz, se reconhece que é um automatismo, puramente exterior, ao qual a alma permanece indiferente.

As preces reunidas nesta coletânea estão divididas em cinco categorias:

1. Preces em geral;
2. Preces para si mesmo;
3. Preces pelos encarnados;
4. Preces pelos desencarnados;

Coletânea de Preces Espíritas

5. Preces pelos doentes e os obsediados.

Com o fim de chamar a atenção mais particularmente sobre o objetivo de cada prece e tornar mais compreensível o seu sentido, são todas precedidas de uma exposição de motivos sob o título de Instrução Preliminar.

1
Preces em geral

Oração Dominical

Instrução Preliminar

Os Espíritos recomendaram colocar a oração dominical, o Pai-Nosso, no início desta coletânea, não somente como prece, mas também como símbolo. De todas as preces, é a que colocam em primeiro lugar, porque veio do próprio Jesus (Mateus, 6:9 a 13) e porque pode substituir a todas conforme a idéia e o sentimento que se lhe atribua. É o mais perfeito modelo de concisão[2],

---

2. **Concisão:** precisão, exatidão, síntese (N.E.).

verdadeira obra-prima, sublime na sua simplicidade. De fato, sob a forma mais singela, resume todos os deveres do homem para com Deus, para consigo mesmo e para com o próximo. Encerra uma profissão de fé[3], um ato de adoração e de submissão, o pedido das coisas necessárias à vida e o princípio da caridade. Dizê-la em intenção de alguém é pedir para outrem o que se pediria para si mesmo.

Mas, em virtude de ser concisa, o profundo sentido contido nas poucas palavras que a compõem escapa à maioria. É por isso que a oração dominical[4] é, muitas vezes, dita sem se fixar o pensamento sobre o sentido de cada uma de suas partes. Dizem-na decorada, como uma fórmula, cuja eficiência está condicionada ao número de vezes que é repetida e, quase sempre, esse número é cabalístico: *três, sete* ou *nove*, tirado da antiga crença supersticiosa do poder

---

3. **Profissão de fé:** declaração pública de uma crença ou certeza religiosa (N.E.).
4. **Oração dominical:** do latim *dominus*. Oração do Senhor (Jesus) (N.E.).

Coletânea de Preces Espíritas

atribuído aos números e em uso nos círculos da magia.

Para auxiliar e aclarar a mente sobre as proposições do *Pai-Nosso,* de acordo com o conselho e com a assistência dos bons Espíritos, a cada proposição da prece foi feito um comentário que lhe desenvolve o sentido e mostra as aplicações. Conforme as circunstâncias e o tempo disponível, pode-se dizer a Oração Dominical *simples* ou *desenvolvida*.

Prece

Pai nosso que estais nos Céus, santificado seja o vosso nome!

Acreditamos em vós, Senhor, pois tudo revela vosso poder e vossa bondade. A harmonia do Universo testemunha uma sabedoria, uma prudência e uma previdência que ultrapassam toda a compreensão humana. O nome de um ser soberanamente grande e sábio está inscrito em todas as obras da Criação, desde o ramo da erva e o mais pequeno inseto até os astros que se movem no espaço. Em todos os lugares, vemos a prova de um amor paternal. É por isso que cego é aquele que não vos reconhece em vossas obras, orgulhoso aquele que não vos glorifica, e ingrato aquele que não vos rende graças.

Venha a nós o vosso reino!

Senhor, destes aos homens leis perfeitas de sabedoria, que os fariam felizes se as seguissem. Com essas leis, fariam reinar entre si a paz e a justiça; ajudariam-se mutuamente ao invés de prejudicarem-se como o fazem; o forte ajudaria o fraco ao invés de massacrá-lo; evitariam os males que geram os abusos e os excessos de todas as espécies. Todas as misérias da Terra vêm da violação de vossas leis, pois não há uma única infração a essas leis que não tenha conseqüências inevitáveis.

Destes ao animal o instinto, que o mantém no limite do necessário, e ele se conforma naturalmente com isso. Ao homem, além do instinto, destes a inteligência e a razão; destes também a liberdade de respeitar ou violar aquelas de vossas leis que lhe dizem respeito pessoalmente, ou seja, de

Coletânea de Preces Espíritas

escolher entre o bem e o mal, a fim de que tenha o mérito e a responsabilidade de suas ações.

Ninguém pode alegar ignorância de vossas leis, porque, em vossa previdência paternal, quisestes que fossem gravadas na consciência de cada um, sem distinção de cultos, nem de nações. Aqueles que as desobedecem, é porque vos desconhecem.

Chegará o dia em que, de acordo com vossa promessa, todos praticarão, e então a incredulidade terá desaparecido. Todos vós reconhecerão o Senhor soberano de todas as coisas, e o reinado de vossas leis será vosso reino na Terra.

Dignai-vos, Senhor, a apressar a sua vinda, dando aos homens a luz necessária que os conduza ao caminho da verdade.

Seja feita a vossa vontade assim na Terra como nos Céus!

Se a submissão é um dever do filho com relação ao pai, do inferior com relação ao superior, quanto maior não deve ser a da criatura em relação ao seu Criador! Fazer vossa

Allan Kardec

vontade, Senhor, é obedecer vossas leis e se submeter sem lamentações aos vossos decretos divinos. O homem se submeterá a ela quando compreender que sois a fonte de toda sabedoria e que sem vós nada pode. Então fará vossa vontade na Terra como os eleitos a fazem nos Céus.

O pão nosso de cada dia, nos dai hoje!

Dai-nos o alimento para a manutenção das forças do corpo; dai-nos também o alimento espiritual para o desenvolvimento de nosso Espírito.

O animal encontra sua pastagem, mas o homem deve o seu alimento à sua própria atividade e aos recursos de sua inteligência, porque vós o criastes livre.

Vós lhe dissestes: "Tirarás teu alimento da terra com o suor de teu rosto". Com isso lhe fizestes do trabalho uma obrigação, a fim de que exercite sua inteligência pela procura dos meios de preencher as suas necessidades e o seu bem-estar; uns pelo trabalho manual, outros pelo trabalho intelectual. Sem o trabalho, ficaria estacionário e não

Coletânea de Preces Espíritas

poderia pretender alcançar a felicidade dos Espíritos superiores.

Auxiliais o homem de boa vontade que se confia a vós para obter o necessário, mas não aquele que encontra prazer no vício de gastar o tempo inutilmente, que gostaria de tudo obter sem esforço, nem o que procura o desnecessário.[5]

Quantos são os que caem vencidos por sua própria culpa, por seu descuido, sua imprevidência ou sua ambição, e por não quererem se contentar com o que lhes destes. Estes são os que fazem a sua própria desgraça e não têm o direito de se lamentar, já que são punidos naquilo mesmo em que pecaram. Apesar disso, nem a estes abandonais, pois sois infinitamente misericordioso; vós lhes estendeis a mão em socorro desde que, como o filho pródigo[6], retornem sinceramente a vós.[7]

---

5. Veja *O Evangelho Segundo o Espiritismo*, de Allan Kardec, Cap. 25. São Paulo: Petit Editora (N.E.).
6. Filho pródigo: referência à parábola do filho pródigo (veja Lucas 15:11 a 29), arrependido, aguardado, festejado (N.E.).
7. Veja *O Evangelho Segundo o Espiritismo*, de Allan Kardec, Cap. 5:4. São Paulo: Petit Editora (N.E.).

Antes de nos lamentar da nossa sorte, perguntemo-nos se ela não é obra nossa. Perguntemo-nos se a cada infelicidade que nos chega não dependia de nós evitá-la, e consideremos também que Deus nos deu a inteligência para nos tirar do lamaçal e que depende de nós fazer bom uso dela.

Uma vez que na Terra o homem se acha submetido à lei do trabalho, dai-nos a coragem e a força de cumpri-la. Dai-nos também a prudência, a previdência e a moderação, para que não venhamos a perder os seus frutos.

Dai-nos, Senhor, nosso pão de cada dia, ou seja, os meios de adquirir, pelo trabalho, as coisas necessárias à vida, pois ninguém tem o direito de reclamar o desnecessário.

Se o trabalho nos é impossível, confiamo-nos à vossa Divina Providência.

Se está em vossa vontade nos provar pelas mais duras privações, apesar de nossos esforços, nós as aceitamos como uma justa expiação das faltas que tenhamos cometido nesta vida ou numa outra anterior, pois sois

Coletânea de Preces Espíritas

justo. Sabemos que não há sofrimentos que não sejam merecidos e que nunca há punições sem causa.

Preservai-nos, meu Deus, de invejar aqueles que possuem o que não temos, e nem mesmo invejar os que têm o excessivo quando nos falte o necessário. Perdoai-lhes, se esquecem a lei da caridade e de amor ao próximo que lhes ensinastes.[8]

Afastai também de nós o pensamento de negar vossa justiça, ao ver a prosperidade do mau e a infelicidade que, por vezes, aflige o homem de bem. Graças às novas luzes que nos destes, sabemos agora que vossa justiça sempre se cumpre e não falha com ninguém, porque a prosperidade material do mau é tão transitória e passageira quanto a sua existência corporal, e que terá que passar por reencarnações dolorosas, enquanto a alegria reservada àqueles que sofrem com resignação será eterna.[9]

---

8. Veja *O Evangelho Segundo o Espiritismo*, de Allan Kardec, Cap. 16:8. São Paulo: Petit Editora (N.E.).
9. *Idem*, Cap. 5:7, 9, 12 e 18. (N.E.).

Perdoai nossas dívidas como nós as perdoamos àqueles que nos devem! – Perdoai nossas ofensas como nós perdoamos àqueles que nos ofenderam!

Cada uma de nossas infrações às vossas leis, Senhor, é uma ofensa que vos fazemos, e uma dívida contraída que cedo ou tarde será preciso resgatar. Solicitamos o perdão de vossa infinita misericórdia e vos prometemos empregar nossos esforços para não contrair novas dívidas.

Na caridade, nos ensinastes a maior das leis; mas a caridade não consiste somente em amparar ao semelhante na necessidade; consiste também no esquecimento e no perdão das ofensas. Com que direito reclamaríamos vossa indulgência, se nós mesmos não usássemos dela para com aqueles dos quais temos do que nos queixar?

Dai-nos, meu Deus, a força para apagar em nossa alma todo o ressentimento, todo o ódio e todo o rancor. Fazei com que a morte não nos surpreenda com nenhum desejo de vingança no coração. Se for de vossa vontade nos retirar hoje mesmo da Terra, fazei

Coletânea de Preces Espíritas

com que possamos nos apresentar diante de vós puros, libertos de ódios, como o Cristo, cujas últimas palavras foram de perdão em favor dos seus martirizadores.[10]

As perseguições que os maus nos fazem suportar são parte das nossas provas terrenas. Devemos aceitá-las sem lamentações, como todas as outras provas, e não amaldiçoar aqueles que com suas maldades nos dão a oportunidade de perdoar-lhes, abrindo-nos o caminho da felicidade eterna, já que nos dissestes pelo ensinamento de Jesus: *Bem-aventurados os que sofrem pela justiça!* Bendigamos a mão que nos fere e nos humilha, porque sabemos que as angústias do corpo fortalecem nossa alma, e seremos glorificados em nossa humildade.[11]

Abençoado seja o vosso nome, Senhor, por nos teres ensinado que nossa sorte não está irrevogavelmente fixada após a morte. Que encontraremos em outras existências os meios de resgatar e reparar nossas faltas

---

10. Veja *O Evangelho Segundo o Espiritismo*, de Allan Kardec, Cap. 10. São Paulo: Petit Editora (N.E.).
11. *Idem*, Cap. 12:4. (N.E.).

passadas, e de cumprir, em uma nova vida, o que não pudemos fazer nesta para o nosso adiantamento.[12]

Assim se explicam todas as desigualdades aparentes da vida terrena. É a luz lançada sobre nosso passado e nosso futuro o sinal evidente de vossa soberana justiça e de vossa bondade infinita.

*Não nos deixeis cair em tentação, mas livrai-nos do mal!**

Dai-nos, Senhor, a força para resistir às sugestões dos maus Espíritos que, inspirando-nos maus pensamentos, tentam nos desviar do caminho do bem.

Somos Espíritos imperfeitos, encarnados na Terra para expiar nossas faltas e

---

12. Veja *O Evangelho Segundo o Espiritismo*, de Allan Kardec, Caps. 4 e 5:5. São Paulo: Petit Editora (N.E.).

* Algumas traduções trazem: *Não nos induzas à tentação* (*et ne nos inducas in tentationem*); essa expressão daria a entender que a tentação vem de Deus, que incita voluntariamente os homens à prática do mal, pensamento ultrajante e insultuoso que assemelharia Deus a Satã e que não pode ter sido o de Jesus, porque está de acordo com a doutrina comum sobre o papel dos demônios. (Consulte *O Céu e o Inferno*, Cap. 10, Demônios.) (Nota do Autor)

Coletânea de Preces Espíritas

melhorar-nos. A principal causa do mal está em nós mesmos, e os maus Espíritos apenas se aproveitam de nossas más inclinações e vícios para nos tentar.

Cada imperfeição é uma porta aberta à influência deles, conquanto são impotentes e renunciam a qualquer tentativa contra os seres perfeitos. Se não tivermos vontade firme e determinada para praticar o bem e renunciar ao mal, tudo o que fizermos para afastá-los será inútil. Portanto, precisamos direcionar nossos esforços para combater as nossas más inclinações e os nossos vícios; então, os maus Espíritos naturalmente se afastarão, porque é o mal que os atrai, enquanto o bem os repele.[13]

Senhor, sustentai-nos em nossa fraqueza; inspirai-nos, pela voz de nossos anjos guardiães e pelos bons Espíritos, a vontade de corrigir nossas imperfeições a fim de impedir aos Espíritos impuros o acesso à nossa alma.[14]

---

13. Veja o Capítulo 5 (N.E.).
14. Veja no Capítulo 2, no tópico "Aos anjos guardiães e aos Espíritos protetores", o item "Instrução Preliminar" (N.E.).

Senhor, como sois a fonte de todo o bem, não criais nada de mau, não podendo, por isso, o mal ser obra vossa. Nós mesmos o criamos ao desprezar as vossas leis, e pelo mau uso que fazemos do livre-arbítrio que nos destes. Quando os homens cumprirem vossas leis, o mal desaparecerá da Terra, como já desapareceu em mundos mais avançados.

A prática do mal não é uma necessidade fatal ou irresistível para ninguém, e apenas parece irresistível àqueles que nela se satisfazem. Se temos a vontade de fazer o mal, podemos também ter a de fazer o bem. Senhor, meu Deus, é por isso que pedimos vossa assistência e a dos bons Espíritos para resistir à tentação.

Assim seja!

Permite, Senhor, que nossos desejos se realizem! Mas curvamo-nos diante de vossa infinita sabedoria. Que todas as coisas que não compreendamos sejam feitas conforme vossa santa vontade, e não a nossa, pois quereis apenas o nosso bem e sabeis melhor do que nós o que nos é conveniente.

Coletânea de Preces Espíritas

A vós, meu Deus, dirigimos esta prece por nós e em favor de todas as almas sofredoras, encarnadas ou desencarnadas, pelos nossos amigos e inimigos, por todos aqueles que solicitem nossa assistência, e em particular por... (Podem-se formular a seguir os agradecimentos que são dirigidos a Deus e os que se queira pedir para nós mesmos ou para os outros.)[15]

Suplicamos vossa misericórdia e vossa bênção para todos.

Reuniões Espíritas

Onde quer que se encontrem duas ou três pessoas reunidas em meu nome, eu me encontrarei entre elas. (Mateus, 18:20)

Instrução Preliminar

Para as pessoas se acharem reunidas em nome de Jesus não basta estarem fisicamente juntas. É preciso estarem espiritualmente unidas, pela comunhão de

---

15. Veja no Capítulo 2, no tópico "Nas aflições da vida", os itens "Instrução Preliminar" e "Prece" (N.E.).

intenções e de pensamentos para o bem. Assim, Jesus ou os Espíritos puros que O representam se encontrarão no meio da assembléia. O Espiritismo nos faz compreender como os Espíritos podem estar entre nós. Eles estão com seu corpo fluídico ou espiritual, e com a aparência que nos permitiria reconhecê-los, caso se tornassem visíveis. Quanto mais são elevados na ordem espiritual, maior é seu poder de irradiação. É assim que possuem o dom da ubiqüidade, isto é, podem estar em muitos lugares ao mesmo tempo, bastando para isso usarem um raio de seu pensamento, que se projeta para onde eles querem.

Por estas palavras Jesus quis mostrar o efeito da união e da fraternidade. Não é o maior ou o menor número de pessoas reunidas que garante a presença espiritual de Jesus ou dos bons Espíritos, pois, ao invés de duas ou três, poderia Ele ter dito dez ou vinte, ou até mais. A presença espiritual de Jesus e a dos bons Espíritos se dará sempre que o sentimento de caridade seja a base da união com fraternidade, ainda que só se conte com duas pessoas. Porém, se essas

Coletânea de Preces Espíritas

duas pessoas orarem, cada uma no seu canto, embora se dirijam a Jesus, não existirá entre elas comunhão de pensamentos se não estiverem tocadas por um sentimento de benevolência mútua. Em se olhando com prevenção, ódio, inveja ou ciúme, as correntes fluídicas de seus pensamentos serão opostas, ao invés de se unirem num impulso comum de simpatia e, assim, *não estarão reunidas em nome de Jesus*. Jesus será para elas apenas um pretexto da reunião, e não o verdadeiro motivo.[16]

Isto não significa que Jesus não atenda à voz de uma única pessoa. Se Ele disse: Eu virei para todo aquele que me chamar, é que exige, antes de tudo, o amor ao próximo, do qual se podem dar provas quando oramos em grupo, melhor do que isoladamente, e isentos de todo sentimento pessoal e egoísta. Segue-se que, se numa assembléia numerosa, apenas duas ou três pessoas se unem de coração pelo sentimento da verdadeira caridade, enquanto as

---

16. Veja *O Evangelho Segundo o Espiritismo*, de Allan Kardec, Cap. 27:9. São Paulo: Petit Editora (N.E.).

outras se isolam e se concentram em pensamentos egoístas ou mundanos, Ele estará com os primeiros e não com os demais. Não são, pois, o coro das palavras, dos cânticos ou os atos exteriores que constituem a reunião em nome de Jesus, mas a comunhão de pensamentos em harmonia com o Espírito de caridade que Ele personifica.[17]

Este deve ser o caráter das reuniões espíritas sérias, aquelas em que se deseja a participação dos bons Espíritos.

Prece (para o início da reunião)

Suplicamos ao Senhor Deus todo poderoso enviar-nos bons Espíritos para nos assistir, afastar aqueles que poderiam nos levar ao erro e nos dar a luz necessária para distinguir a verdade da impostura.

Afastai também os Espíritos malévolos, encarnados e desencarnados, que poderiam tentar provocar a desunião entre nós e desviar-nos da caridade e do amor ao próximo.

---

17. Veja *O Evangelho Segundo o Espiritismo*, de Allan Kardec, Caps. 10:7 e 8; e 27:2 a 4. São Paulo: Petit Editora (N.E.).

Se alguns procurarem aqui se introduzir, fazei com que não achem acesso no coração de nenhum de nós.

Bons Espíritos que vindes nos instruir, tornai-nos dóceis aos vossos conselhos; desviai-nos de todo pensamento de egoísmo, orgulho, inveja e ciúme; inspirai-nos a indulgência e a benevolência para com os nossos semelhantes, presentes ou ausentes, amigos ou inimigos; fazei com que, pelos sentimentos de amor que nos envolvem, reconheçamos a vossa salutar influência.

Dai aos médiuns que escolherdes para transmitir vossos ensinamentos a consciência da santidade do mandato que lhes foi confiado, e da seriedade do ato que vão realizar, a fim de que o façam com o fervor e a responsabilidade necessários.

Se, na reunião, houver pessoas que tenham vindo por outros sentimentos que não o do bem, abri-lhes os olhos à luz e perdoai-lhes, como nós lhes perdoamos se vierem com intenções malévolas.

Rogamos especialmente ao Espírito de ..., nosso guia espiritual, para nos assistir e velar por nós.

Prece (para o fim da reunião)

Agradecemos aos bons Espíritos que vieram se comunicar conosco; rogamo-lhes que nos ajudem a colocar em prática as instruções que nos foram dadas, e que cada um de nós, ao sair daqui, se sinta fortalecido para a prática do bem e do amor ao próximo.

Desejamos igualmente que suas instruções sejam proveitosas aos Espíritos sofredores, ignorantes ou viciosos, que puderam assistir a esta reunião, e para os quais suplicamos a misericórdia de Deus.

Pelos Médiuns

Nos últimos tempos, disse o Senhor, espalharei meu Espírito sobre toda a carne; vossos filhos e vossas filhas profetizarão; vossos jovens terão visões, e vossos velhos, sonhos. Nesses dias, espalharei de meu Espírito sobre meus servidores, e eles profetizarão.[18]

---

18. Veja *Atos dos Apóstolos* 2:17 e 18 (N.E.).

Coletânea de Preces Espíritas

Instrução Preliminar

O Senhor quis que a luz se fizesse para todos os homens e que a voz dos Espíritos penetrasse por todos os lugares, a fim de que cada um pudesse ter provas da imortalidade do Espírito. É com esse objetivo que hoje os Espíritos se manifestam em todos os pontos da Terra, e a mediunidade se revela em pessoas de todas as idades e de todas as condições, nos homens e nas mulheres, nas crianças e nos velhos. É um dos sinais de que chegaram os tempos anunciados.

Para conhecer as coisas do mundo visível e descobrir os segredos da natureza material, Deus deu ao homem a visão, os sentidos e instrumentos especiais. Com o telescópio, ele lança seus olhares na profundeza do espaço, e, com o microscópio, descobriu o mundo dos infinitamente pequenos. Para penetrar no mundo invisível, deu-lhe a mediunidade.

Os médiuns são os intérpretes encarregados de transmitir aos homens os ensinamentos dos Espíritos; ou melhor, *são os instrumentos materiais pelos quais se comunicam os Espíritos para se tornarem compreensíveis aos homens*. Sua missão é santa e tem o objetivo de abrir os horizontes da vida eterna.

Os Espíritos vêm instruir o homem sobre sua destinação futura, a fim de o orientar no caminho do bem, e não para poupar-lhe o trabalho material que deve cumprir na Terra para seu adiantamento, nem para favorecer sua ambição e sua cobiça. Eis do que os médiuns devem se compenetrar, para não fazer mau uso dos seus dons mediúnicos. Aquele que compreende a seriedade do mandato de que está investido cumpre-o religiosamente. Sua consciência o reprovaria, como um ato de sacrilégio, isto é, uma profanação, se transformasse em divertimento e distração, *para ele ou para os outros*, o dom mediúnico que lhe foi dado com um objetivo muito sério e que o coloca em contato com os seres do mundo espiritual.

Como intérpretes do ensinamento dos Espíritos, os médiuns devem exercer um

Coletânea de Preces Espíritas

papel importante na transformação moral que se opera na Terra. Os serviços que podem prestar estão na razão da boa direção que dão às suas faculdades mediúnicas, pois aqueles que estão em mau caminho são mais prejudiciais do que úteis à causa do Espiritismo. Pelas más impressões que produzem, retardam mais de uma conversão. É por isso que terão de prestar contas do uso que fizeram de um dom, que lhes foi dado para o bem de seus semelhantes.

O médium que quer conservar a assistência dos bons Espíritos deve trabalhar para a sua própria melhoria. Aquele que quer ver crescer e desenvolver capacidades mediúnicas, deve aperfeiçoar-se moralmente, e afastar-se de tudo que o levaria a desviar-se de seu objetivo providencial.

Se, por vezes, os bons Espíritos se servem de médiuns imperfeitos, é para lhes dar bons conselhos e fazê-los retornar ao bem. Se encontram corações endurecidos e se seus conselhos não são escutados, eles se retiram, e, então, os maus têm o caminho livre.[19]

A experiência prova que, para os que não aproveitam os conselhos que recebem dos bons Espíritos, as comunicações se deturpam pouco a pouco, após ter revelado algum brilho durante um certo tempo, e acabam por cair no erro, no palavreado vazio e no ridículo, sinal evidente do afastamento dos bons Espíritos.

Obter a assistência dos bons Espíritos, afastar os Espíritos levianos e mentirosos deve ser a meta dos esforços constantes de todos os médiuns sérios. Sem isso, a mediunidade é um dom estéril, que pode resultar em prejuízo daquele que a possua, pois pode transformar-se em perigosa obsessão.

O médium que compreende o seu dever, ao invés de se envaidecer por um dom que não lhe pertence, uma vez que pode lhe ser retirado, atribui a Deus as boas

---

19. Veja *O Evangelho Segundo o Espiritismo*, de Allan Kardec, Cap. 24:11 e 12. São Paulo: Petit Editora (N.E.).

coisas que obtém. Se suas comunicações merecem elogios, não se envaidece por isso, pois sabe que elas são independentes de seu mérito pessoal, e agradece a Deus por ter permitido que os bons Espíritos viessem se manifestar por meio dele. Por outro lado, se for criticado, não se ofenderá por isso, porque não são obras do seu próprio Espírito. Reconhecerá não ter sido ele um bom instrumento, admitindo que ainda não possui todas as qualidades necessárias para se opor à influência de Espíritos atrasados. É por isso que procura adquirir essas qualidades, e pede, pela prece, a força que lhe falta.

Prece

Deus Todo-Poderoso, permiti aos bons Espíritos me assistirem na comunicação que solicito. Preservai-me da presunção de me julgar resguardado dos maus Espíritos; do orgulho que poderia me induzir ao erro sobre o valor do que obtenha; de todo sentimento contrário à caridade com relação aos outros médiuns. Se for induzido ao erro, inspirai a alguém o pensamento de me advertir, e a mim a humildade que me fará aceitar a crítica com gratidão e tomar para mim mesmo, e não para os outros, os conselhos que me quiseram ditar os bons Espíritos.

Se for tentado a abusar, no que quer que seja, ou me envaidecer por causa do dom que vós me concedestes, eu vos suplico para retirá-la de mim, antes de permitir que seja desviada de seu objetivo providencial, que é o bem de todos e meu próprio adiantamento moral.

2
Preces para si mesmo

Aos anjos guardiães e aos Espíritos protetores

Instrução Preliminar

Todos nós temos um bom Espírito que está ligado a nós desde nosso nascimento e que nos tomou sob sua proteção. Desempenha junto de nós a missão de um pai junto a um filho: a de nos conduzir no caminho do bem e do progresso no decurso das provas da vida. Fica feliz quando correspondemos aos seus cuidados e sofre quando nos vê fracassar.

Seu nome pouco importa, pois pode não ter nenhum nome conhecido na Terra. Nós o invocamos, então, como nosso anjo guardião, nosso bom amigo espiritual. Podemos até mesmo invocá-lo sob o nome de um Espírito superior, pelo qual sentimos particularmente uma simpatia especial.

Além do anjo guardião, que sempre é um Espírito superior, temos os Espíritos protetores que, embora menos elevados, são igualmente bons e generosos. Eles são, geralmente, parentes, amigos ou quaisquer pessoas que não conhecemos em nossa existência atual. Eles nos ajudam pelos seus conselhos, e muitas vezes intervindo nos atos de nossa vida.

Os Espíritos simpáticos são os que se ligam a nós por uma certa semelhança de gostos e tendências. Podem ser bons ou maus, conforme a natureza das nossas inclinações, que os atraem para nós.

Os Espíritos sedutores se esforçam para nos desviar do caminho do bem, sugerindo-nos maus pensamentos. Eles se aproveitam de todas as nossas fraquezas e

Coletânea de Preces Espíritas

também de tantas outras portas abertas que lhes dão acesso à nossa alma. Há os que se agarram a nós como a uma presa, mas *se afastam quando reconhecem sua impotência para lutar contra a nossa vontade*.

Deus nos deu um guia principal e superior, em nosso anjo guardião, e guias secundários nos Espíritos protetores e familiares. É um erro acreditar que *forçosamente* temos um mau Espírito colocado perto de nós para contrabalançar as boas influências. Os maus Espíritos vêm *voluntariamente*, desde que encontrem acesso em nós, pela nossa fraqueza ou pela nossa negligência em seguir as inspirações dos bons Espíritos. Portanto, somos nós que os atraímos. Resulta disso que nunca se está privado da assistência dos bons Espíritos, e depende de nós o afastamento dos maus. Por suas imperfeições, o homem é o causador das misérias que suporta; ele é, na maioria das vezes, seu próprio mau Espírito que ele pensa que o atormenta.[20]

---

20. Veja *O Evangelho Segundo o Espiritismo*, de Allan Kardec, Cap. 5:4. São Paulo: Petit Editora (N.E.).

A prece aos anjos guardiães e aos Espíritos protetores deve ter por objetivo solicitar sua intervenção junto a Deus, para pedir-lhes força para resistir às más sugestões e sua assistência nas necessidades da vida.

Prece

Espíritos sábios e benevolentes, mensageiros de Deus, cuja missão é assistir os homens e conduzi-los ao bom caminho, sustentai-me nas provas desta vida; dai-me a força para suportá-las sem lamentações; desviai de mim os maus pensamentos e fazei com que eu não me afine com nenhum dos maus Espíritos que tentarem me induzir ao mal. Iluminai minha consciência sobre meus defeitos e tirai de sobre meus olhos o véu do orgulho que poderia me impedir de os distinguir para os combater em mim mesmo.

Vós, ..., meu anjo guardião, que velais mais particularmente por mim, e todos vós, Espíritos protetores que vos interessais por mim, fazei com que eu me torne digno de vossa benevolência. Conheceis

Coletânea de Preces Espíritas

*minhas necessidades, que elas sejam sa-
tisfeitas segundo a vontade de Deus.*

Prece (outra)

*Meu Deus, permiti aos bons Espíritos que
me assistem virem em minha ajuda quando
estiver em sofrimento e amparar se eu vacilar.
Fazei, Senhor, com que me inspirem a fé, a
esperança e a caridade; que sejam para mim
um apoio, uma esperança e uma prova de
vossa misericórdia; fazei enfim com que encontre junto a eles a força que me falta nas
provas da vida, para resistir às sugestões do
mal, a fé que salva, o amor que consola.*

Prece (outra)

*Espíritos bem-amados, anjos guardiães,
vós a quem Deus, em sua infinita misericórdia, permite velar pelos homens, sede
nossos protetores nas provas de nossa vida
terrena. Dai-nos a força, a coragem e a resignação; inspirai-nos tudo o que é bom, li-
vrai-nos da inclinação para o mal; que vossa
doce influência penetre em nossa alma; fazei
com que sintamos que um amigo devotado*

está conosco, perto de nós, que vê nossos sofrimentos e partilha de nossas alegrias.

E vós, meu bom anjo, não me abandoneis. Tenho necessidade de toda a vossa proteção para suportar com fé e amor as provas que a vontade de Deus me enviar.

Para afastar os maus Espíritos

Infelizes de vós, escribas e fariseus hipócritas, porque limpais o exterior do copo e do prato e estais por dentro cheios de rapina[21] e impurezas. Fariseus cegos, limpai primeiramente o interior do copo e do prato, a fim de que o exterior fique limpo também. Infelizes de vós, escribas e fariseus hipócritas! Sois semelhantes a sepulcros caiados de branco, que no exterior parecem belos aos olhos dos homens, mas que, no interior, estão cheios de toda a espécie de podridão. Assim, exteriormente pareceis justos aos olhos dos homens, mas interiormente estais cheios de hipocrisia e iniqüidades[22]. (Mateus, 23:25 a 28)

---

21. **Rapina:** roubo com violência (N.E.).
22. **Iniqüidade:** perversidade, injustiça (N.E.).

Coletânea de Preces Espíritas

Instrução Preliminar

Os maus Espíritos apenas vão aos lugares aonde podem satisfazer sua perversidade. Para os afastar, não basta pedir-lhes, nem mesmo ordenar-lhes que se afastem: é preciso que o homem elimine de si o que os atrai. Os maus Espíritos percebem as chagas da alma, como as moscas farejam as chagas do corpo. Da mesma forma que limpais o corpo para evitar os vermes, deveis limpar também a alma de suas impurezas para evitar os maus Espíritos. Como vivemos num mundo em que há grande quantidade de maus Espíritos, as boas qualidades do coração nem sempre nos protegem de suas tentativas, mas nos dão a força para lhes resistir.

Prece

Em nome de Deus Todo-Poderoso, que os maus Espíritos se afastem de mim e que os bons me sirvam de proteção contra eles!

Espíritos malévolos, que inspirais aos homens maus pensamentos; Espíritos trapaceiros e mentirosos, que os enganais;

Espíritos zombeteiros, que brincais com a credulidade deles, eu vos afasto com todas as forças de minha alma e fecho os meus ouvidos às vossas sugestões; mas imploro para vós a misericórdia de Deus.

Bons Espíritos que generosamente me amparais, dai-me a força para resistir à influência dos maus Espíritos e as luzes necessárias para não ser enganado por suas artimanhas. Preservai-me do orgulho e da vaidade; afastai de meu coração o ciúme, o ódio, a malevolência e todo sentimento contrário à caridade, que são outras tantas portas abertas aos Espíritos maus.

Para corrigir um defeito

Instrução Preliminar

Nossos maus instintos decorrem da imperfeição de nosso próprio Espírito e não do nosso corpo físico; de outro modo, o homem estaria livre de toda a espécie de responsabilidade. Nosso aperfeiçoamento depende de nós, pois todo homem que possui o completo domínio da razão tem, perante todas as coisas, a liberdade de fazer

Coletânea de Preces Espíritas

ou não o que quiser. Assim é que, para fazer o bem, basta-lhe a vontade do querer.[23]

Prece

Vós me destes, meu Deus, a inteligência necessária para distinguir o bem do mal. Portanto, a partir do momento que reconheço que algo é mau, sou culpado por não me esforçar por lhe resistir.

Preservai-me do orgulho que poderia me impedir de perceber meus defeitos, e dos maus Espíritos que poderiam me incentivar a continuar com esses defeitos.

Entre minhas imperfeições, reconheço que sou particularmente inclinado à..., e se não resisto a esse arrastamento, é pelo hábito que contraí de ceder.

Vós não me criastes culpado, pois sois justo, mas com uma disposição igual para o bem e para o mal; se segui o mau caminho, foi pelo uso do meu livre-arbítrio[24]. Mas, assim

---

23. Veja *O Evangelho Segundo o Espiritismo*, de Allan Kardec, Caps. 15:10 e 19:12. São Paulo: Petit Editora (N.E.).
24. Livre-arbítrio: liberdade da pessoa em escolher as suas ações (N.E.).

como tive a liberdade de fazer o mal, tenho a de fazer o bem e, por conseguinte, tenho a de mudar o meu caminho.

Meus defeitos atuais são restos das imperfeições que conservo de minhas existências anteriores. São o meu pecado original[25], do qual posso me livrar por minha vontade e com a assistência dos bons Espíritos.

Bons Espíritos que me protegeis, e vós, meu anjo guardião, dai-me a força para resistir às más sugestões e de sair vitorioso da luta.

Os defeitos são barreiras que nos separam de Deus e cada defeito eliminado é um passo no caminho que deve me aproximar d'Ele.

O Senhor, em sua infinita misericórdia, dignou-se em me conceder a existência atual para que ela servisse para o meu adiantamento. Bons Espíritos, ajudai-me para que

---

25. Pecado original: conforme entendimento bíblico, pecado de Adão e Eva transmitido a toda a raça humana. Conforme entendimento da Doutrina Espírita: são os nossos erros, imperfeições das vidas passadas que temos de superar (nossa expiação) para nos purificar (N.E.).

Coletânea de Preces Espíritas

eu a aproveite, a fim de que ela não se torne perdida para mim e, quando Deus dela me retirar, eu saia melhor do que entrei.[26]

Para resistir a uma tentação

Instrução Preliminar

Todo mau pensamento pode ter duas origens: a nossa própria imperfeição espiritual ou uma influência negativa que age sobre nós. Neste último caso, é sempre o indício de uma fraqueza que nos torna sujeitos a receber essa influência. Há, portanto, indício de imperfeição em nós. No entanto, aquele que fracassou não poderá desculpar-se, alegando ser vítima da influência de um Espírito estranho que o levou ao fracasso, uma vez que *esse Espírito não o teria induzido a praticar o mal se ele fosse inacessível a essa sedução*.

Quando em nós surge um mau pensamento, podemos imaginar que um Espírito malévolo nos sugere o mal; porém,

---

26. Veja *O Evangelho Segundo o Espiritismo*, de Allan Kardec, Caps. 5:5 e 17:3. São Paulo: Petit Editora (N.E.).

Allan Kardec

somos tão livres de ceder ou de resistir como se tratasse da solicitação de uma pessoa viva. Devemos, ao mesmo tempo, imaginar que nosso anjo guardião, ou Espírito protetor, por sua vez, combate em nós a má influência e espera com ansiedade *a decisão que vamos tomar*. Nossa hesitação em fazer o mal é a voz do bom Espírito que se faz ouvir pela nossa consciência.

Reconhece-se que um pensamento é mau quando se afasta da caridade, que é a base da verdadeira moral; quando tem por princípio o orgulho, a vaidade ou o egoísmo; quando a sua realização pode causar um prejuízo qualquer a outra pessoa; quando, enfim, sugere fazer aos outros o que não gostaríamos que fizessem conosco.[27]

Prece

Deus Todo-Poderoso, não me deixeis ceder à tentação que me leva a cair em erro. Espíritos benevolentes que me protegeis, desviai de mim este mau pensamento e dai-me a

---

27. Veja *O Evangelho Segundo o Espiritismo*, de Allan Kardec, Caps. 28:15 e 15:10. São Paulo: Petit Editora (N.E.).

força para resistir à sugestão do mal. Se eu não resistir, terei merecido a expiação de minha falta nesta vida e em outra, pois sou livre para escolher.

Ação de graças pela vitória obtida sobre uma tentação

Instrução Preliminar

Aquele que resistiu a uma tentação deve o fato à assistência dos bons Espíritos dos quais escutou a voz. Ele deve agradecer a Deus e a seu anjo guardião.

Prece

Meu Deus, eu vos agradeço por me terdes permitido sair vitorioso da luta que acabo de sustentar contra o mal. Fazei com que esta vitória me dê a força para resistir a novas tentações.

E a vós, meu anjo guardião, eu vos agradeço pela assistência que me destes. Que possa minha submissão aos vossos conselhos tornar-me digno de merecer novamente vossa proteção.

Para pedir um conselho

Instrução Preliminar

Quando estamos indecisos de fazer ou não qualquer ação, devemos antes de mais nada nos fazer as seguintes perguntas:

1. Aquilo que eu hesito em fazer pode trazer prejuízo a outra pessoa?
2. Pode ser útil a alguém?
3. Se agissem assim comigo, eu ficaria satisfeito?

Se o que desejamos fazer só interessa a nós mesmos, é conveniente colocar na balança as vantagens e desvantagens pessoais que podem disso resultar.

Se ela interessa a outra pessoa e, se ao fazer o bem a um, possa fazer o mal a um outro, é preciso pesar igualmente a soma do bem e do mal para se abster ou agir.

Enfim, mesmo em se tratando das melhores coisas, ainda é preciso considerar a oportunidade e as circunstâncias do fato, pois uma coisa boa por ela mesma pode ter maus resultados em mãos inábeis, se não for conduzida com prudência e serie-dade. Antes de empreendê-la, convém ana-lisar detalhadamente as nossas forças, bem como os meios de a executar.

Em todos os casos, pode-se sempre solicitar a assistência dos nossos Espíritos protetores e se lembrar deste sábio ensi-namento: *Na dúvida, abstém-te.*[28]

Prece

Em nome de Deus Todo-Poderoso, bons Espíritos que me protegeis, inspirai-me a melhor resolução a tomar na incerteza em que me encontro. Dirigi meus pensamentos para o bem e desviai-me da influência dos que tentarem me desencaminhar.

Nas aflições da vida

Instrução Preliminar

Podemos pedir a Deus benefícios materiais, e Ele pode nos atender, quando

---

28. Veja neste Capítulo, no tópico "Na hora de dormir", o item "Instrução Preliminar" (N.E.).

tenham um objetivo útil e sério. Mas, como julgamos a utilidade das coisas do nosso ponto de vista, e sendo a nossa visão limitada ao presente, nem sempre vemos o lado mau do que desejamos. Deus, que vê melhor do que nós e apenas quer o nosso bem, pode nos recusar o que pedimos, como um pai recusa ao filho o que poderia prejudicá-lo. Se o que pedimos não nos é concedido, não devemos desanimar por isso; é preciso pensar, ao contrário, que a privação do que desejamos nos é imposta como prova ou como expiação, e que a nossa recompensa será proporcional à resignação com que a tivermos suportado.[29]

Prece

Deus Todo-Poderoso, que vedes nossas misérias, dignai-vos escutar, favoravelmente, a súplica que vos dirijo neste momento. Se meu pedido for inconveniente, perdoai-me; se for útil e justo a vossos olhos, que os bons

---

29. Veja *O Evangelho Segundo o Espiritismo*, de Allan Kardec, Caps. 27:6; e 2:5 a 7. São Paulo: Petit Editora (N.E.).

Espíritos, que executam vossa vontade, venham em minha ajuda para sua realização.

Como quer que seja, meu Deus, que vossa vontade seja feita. Se meus desejos não forem atendidos, é que é da vossa vontade provar-me, e eu me submeto sem queixas. Fazei com que eu não desanime nem desencoraje e que nem minha fé e nem minha resignação sejam abaladas. (Fazer o pedido em seguida.)

Ação de graças por um favor obtido

Instrução Preliminar

Não devemos considerar como acontecimentos felizes apenas as coisas de grande importância. As mais pequenas na aparência são, muitas vezes, as que mais influem sobre nosso destino. O homem esquece facilmente o bem e se lembra mais daquilo que o aflige. Se registrássemos, dia a dia, os benefícios que recebemos sem tê-los pedido, ficaríamos espantados de ter recebido tanto e em tanta quantidade que até os esquecemos, e nos sentiríamos envergonhados com a nossa ingratidão.

A cada noite, ao elevar nossa alma a Deus, devemos nos lembrar dos favores que Ele nos concedeu durante o dia e agradecer-Lhe por eles. É, sobretudo, no próprio momento em que provamos o efeito de sua bondade e de sua proteção que, espontaneamente, devemos testemunhar-Lhe nossa gratidão. Basta para isto um pensamento que agradeça o benefício, sem que haja necessidade de interromper o trabalho que estejamos fazendo.

Os benefícios de Deus não consistem somente em coisas materiais. É preciso igualmente agradecer as boas idéias, as inspirações felizes que nos são sugeridas. Enquanto os orgulhosos acham nelas um mérito próprio e o incrédulo as atribui ao acaso, aquele que tem fé rende graças a Deus e aos bons Espíritos. São desnecessárias, para isso, longas frases: *"Obrigado, meu Deus, pelo bom pensamento que me inspiraste",* diz mais do que muitas palavras. O impulso espontâneo que nos faz atribuir a Deus o que nos acontece de bom testemunha um hábito de agradecimento e de humildade que nos sintoniza com a simpatia dos bons Espíritos.[30]

Prece

Deus, infinitamente bom, que vosso nome seja abençoado pelos benefícios que me concedestes. Eu seria indigno se os atribuísse ao acaso dos acontecimentos ou ao meu próprio mérito.

Bons Espíritos, que fostes os executores da vontade de Deus, e sobretudo a vós, meu anjo guardião, eu vos agradeço. Desviai de mim a idéia de orgulhar-me pelo que recebi e de não aproveitar os benefícios recebidos somente para o bem.

Eu vos agradeço especialmente por... (Citar o favor recebido.)

---

30. Veja *O Evangelho Segundo o Espiritismo*, de Allan Kardec, Cap. 27:7 e 8. São Paulo: Petit Editora (N.E.).

Ato de submissão e de resignação

Instrução Preliminar

Quando um motivo de aflição nos atinge, se procuramos a sua causa, muitas vezes reconheceremos que é conseqüência de nossa imprudência, de nossa imprevidência ou de uma ação anterior. Assim, devemos atribuí-la apenas a nós mesmos. Se a causa de uma infelicidade é independente de toda a nossa participação, ou ela é uma prova para esta vida, ou é a expiação de alguma falta de uma existência passada. Neste último caso, a natureza da expiação pode nos fazer conhecer a natureza da falta, pois sempre somos punidos naquilo que pecamos.[31]

Naquilo que nos aflige, vemos em geral apenas o mal do momento, e não as conseqüências favoráveis seguintes que

---

31. Veja *O Evangelho Segundo o Espiritismo*, de Allan Kardec, Caps. 5:4, 6 e seguintes. São Paulo: Petit Editora (N.E.).

Coletânea de Preces Espíritas

isso pode ter. O bem é, muitas vezes, a conseqüência de um mal passageiro, como a cura de uma doença é o resultado dos meios dolorosos que se empregaram para obtê-la. Em todos os casos devemos nos submeter à vontade de Deus, suportar com coragem as aflições da vida, se queremos que elas nos sejam levadas em conta e que estas palavras do Cristo se apliquem a nós: *Bem-aventurados os que sofrem*.[32]

Prece

Meu Deus, sois soberanamente justo; todo sofrimento na Terra deve, pois, ter sua causa e sua utilidade. Aceito a aflição que me atormenta como uma expiação por minhas faltas passadas e uma prova para o futuro.

Bons Espíritos que me protegeis, dai-me a força para suportá-la sem lamentações. Fazei com que seja para mim uma advertência salutar; que aumente minha experiência, que combata em mim o orgulho, a ambição, a

---

32. Veja *O Evangelho Segundo o Espiritismo*, de Allan Kardec, Cap. 5:18. São Paulo: Petit Editora (N.E.).

tola vaidade e o egoísmo; que contribua assim para o meu adiantamento.

Prece (outra)

Sinto, meu Deus, a necessidade de vos rogar para que me dês forças para suportar as provações que vós me enviastes. Permiti que a luz se faça bastante viva em meu Espírito, para que eu aprecie toda a extensão de um amor que me aflige por querer me salvar. Eu me submeto com resignação, meu Deus. Mas a criatura é tão fraca que, se vós não me ampararddes, temo cair. Não me abandoneis, Senhor, pois sem vós não sou nada.

Prece (outra)

Elevei meu olhar para ti, ó Eterno, e me senti fortalecido. Tu és minha força, não me abandones. Meu Deus, estou esmagado sob o peso de minhas maldades! Ajuda-me. Conheces a fraqueza de minha carne, não desvies teu olhar de mim!

Estou devorado por uma sede ardente; faze jorrar a fonte de água viva que aliviará minha sede. Que minha boca apenas se abra para cantar teus louvores e não para reclamar das aflições da vida. Sou fraco, Senhor, mas teu amor me sustentará.

Senhor, Eterno Deus! Somente tu és grande, somente tu és o fim e a meta de minha vida! Seja bendito teu nome, se me fazes sofrer, pois és o Senhor e eu o servidor infiel. Curvarei minha fronte sem me lamentar, porque só tu és grande, só tu és a meta.

Diante de um perigo iminente

Instrução Preliminar

Diante dos perigos que corremos, Deus nos adverte da nossa fraqueza e da fragilidade de nossa existência. Ele nos mostra que nossa vida está nas suas mãos e que ela se acha presa por um fio que pode se romper no momento em que nós menos esperamos. Sob este aspecto, não há privilégio para ninguém, pois o grande e o pequeno estão submetidos às mesmas condições.

Se examinarmos a natureza e as conseqüências do perigo, veremos que, freqüentemente, essas conseqüências, caso se realizassem, teriam sido a punição de uma falta cometida ou de *um dever negligenciado*.

Prece

Deus Todo-Poderoso, e vós, meu anjo guardião, ajudai-me! Se devo desencarnar, que a vontade de Deus seja feita. Se for salvo, que o resto de minha vida repare o mal que fiz e do qual me arrependo.

Ação de graças após ter escapado de um perigo

Instrução Preliminar

Quando escapamos de um perigo que corremos, Deus nos mostra que podemos, de um momento para o outro, ser chamados a prestar contas do emprego que fizemos da vida. Ele nos adverte, assim, para examinarmos nossas ações e nos corrigirmos.

Coletânea de Preces Espíritas

Prece

Meu Deus, e vós, meu anjo guardião, eu vos agradeço pela ajuda que me enviastes no perigo que me ameaçou. Que esse perigo seja para mim uma advertência e me esclareça sobre as faltas que o atraíram para mim. Eu compreendo, Senhor, que minha vida está em vossas mãos e que podeis retirá-la, a qualquer momento. Inspirai-me, pelos bons Espíritos que me ajudam, o pensamento de como empregar utilmente o tempo que ainda me deres na Terra.

Meu anjo guardião, sustentai-me na resolução que tomo de reparar meus erros e de fazer todo o bem que estiver ao meu alcance, a fim de chegar menos imperfeito ao mundo dos Espíritos, quando Deus me chamar.

Na hora de dormir

Instrução Preliminar

O sono é o repouso do corpo; o Espírito, porém, não tem necessidade de repouso. Enquanto os nossos sentidos físicos estão adormecidos, a alma se liberta em parte da matéria e assume o domínio de suas capacidades espirituais. O sono foi dado ao homem para a reposição das forças orgânicas e das forças morais. Enquanto o corpo recupera as energias que perdeu pela atividade no dia anterior, o Espírito vai fortalecer-se entre outros Espíritos. As idéias que encontra ao despertar, em forma de intuição, ele as obtém do que vê, do que ouve e dos conselhos que lhe são dados. Equivale ao retorno temporário do exilado à sua verdadeira pátria, como um prisioneiro momentaneamente libertado.

Mas, tal como acontece a um prisioneiro perverso, acontece o mesmo ao Espírito que, nem sempre, aproveita esses momentos de liberdade para seu adiantamento. Se tem maus instintos, ao invés de procurar a companhia dos bons Espíritos, procura a dos maus, seus semelhantes, e vai visitar os lugares onde pode dar livre curso à suas más tendências.

Que aquele que esteja consciente desta verdade eleve o seu pensamento a

Deus no momento em que sentir a aproximação do sono. Que peça conselhos aos bons Espíritos e àqueles cuja memória lhe seja cara, a fim de que possa juntar-se a eles no curto intervalo que lhe é concedido e, ao despertar, ele se sentirá mais forte contra o mal, com mais coragem contra as infelicidades.

Prece

Minha alma vai se encontrar por instantes com outros Espíritos. Que aqueles que são bons venham me ajudar com seus conselhos. Meu anjo guardião, fazei com que ao despertar eu conserve uma durável e salutar impressão desse convívio.

Na previsão da morte próxima

Instrução Preliminar

A fé no futuro, a orientação do pensamento durante a vida em direção à sua destinação futura ajudam o desligamento do Espírito por enfraquecerem os laços que o prendem ao corpo, tanto que, muitas vezes, a vida corporal ainda não se extinguiu completamente e a alma, impaciente, já empreendeu seu vôo em direção à imensidade. Para o homem que, ao contrário, concentra todos os seus pensamentos nas coisas materiais, esses laços estão mais presos, *a separação é dolorosa e demorada* e o despertar no além-túmulo é cheio de problemas e de ansiedade.

Prece

Meu Deus, eu acredito em vós e na vossa bondade infinita. É por isso que não posso acreditar que destes ao homem a inteligência para vos conhecer e a aspiração pelo futuro para, depois, lançá-lo no nada.

Acredito que meu corpo é apenas o envoltório perecível de minha alma e que, quando tiver cessado de viver, acordarei no mundo dos Espíritos.

Deus Todo-Poderoso, sinto os laços que unem minha alma a meu corpo romperem-se e que logo vou ter que prestar contas do uso que fiz da vida enquanto encarnado.

Coletânea de Preces Espíritas

Vou sofrer as conseqüências do bem e do mal que fiz. Lá não haverá mais ilusão, nem mais desculpas possíveis, todo o meu passado vai se desenrolar diante de mim e serei julgado segundo minhas obras.

Nada levarei dos bens da Terra. Honrarias, riquezas, satisfações da vaidade e do orgulho, enfim, tudo o que se prende ao corpo vai ficar na Terra. Nem a menor parcela me seguirá e nada disso me será útil no mundo dos Espíritos. Levarei comigo apenas o que pertence à alma, ou seja, as boas e as más qualidades que serão pesadas na balança da mais rigorosa justiça. Serei julgado com tanto maior severidade quanto mais minha posição na Terra me tenha dado o maior número de ocasiões para fazer o bem que não fiz.[33]

Deus de Misericórdia, que o meu arrependimento chegue até vós! Dignai-vos a estender sobre mim o manto da vossa indulgência.

---

33. Veja *O Evangelho Segundo o Espiritismo*, de Allan Kardec, Cap. 16:9. São Paulo: Petit Editora (N.E.).

Se é de vossa vontade prolongar minha existência, que seja empregada para reparar, tanto quanto estiver ao meu alcance, o mal que pratiquei. Se minha hora é chegada, levo o consolador pensamento de que me será permitido resgatar as minhas faltas em novas provas, a fim de merecer um dia a felicidade dos eleitos.

Se não me é dado imediatamente o gozo dessa felicidade pura, que pertence somente ao justo por excelência, sei que a esperança não me está perdida e que com o trabalho atingirei o objetivo, mais cedo ou mais tarde, conforme meus esforços.

Sei que os bons Espíritos e meu anjo guardião estarão lá, perto de mim, para me receber; em breve eu os verei, como eles me vêem. Sei que encontrarei aqueles que amei na Terra, se o tiver merecido, e aqueles que deixo virão, um dia, me reencontrar para estarmos reunidos para sempre e, enquanto isso, poderei vir visitá-los.

Também sei que vou encontrar aqueles a quem ofendi. Possam eles perdoar-me pelo que têm a me censurar: meu orgulho, minha

Coletânea de Preces Espíritas

dureza, minhas injustiças, e que eu não me envergonhe na presença deles!

Perdôo àqueles que me fizeram ou quiseram me fazer mal na Terra; não levo nenhum ódio contra eles e rogo a Deus que os perdoe.

Senhor, dai-me a força para deixar sem lamentações as alegrias grosseiras deste mundo, que não são nada perto das alegrias puras do mundo onde vou entrar! Lá, para o justo, não há mais tormentos, sofrimentos, misérias; apenas o culpado sofre, mas resta-lhe sempre a esperança.

Bons Espíritos, e vós, meu anjo guardião, não me deixeis fracassar neste momento supremo. Fazei brilhar aos meus olhos a divina luz, a fim de reanimar minha fé se ela vier a abalar-se.[34]

---

34. Veja o Capítulo 5 (N.E.).

3
Preces pelos encarnados

Por alguém que esteja em aflição

Instrução Preliminar

Se é conveniente que a prova do aflito siga seu curso, ela não será abreviada pelo nosso pedido. Porém, seria ato de impiedade se o desencorajássemos porque o pedido não é atendido, já que, na falta de cessação da prova, pode-se esperar obter qualquer outra consolação que modere a amargura. O que é verdadeiramente útil para aquele que sofre é a coragem e a resignação,

Coletânea de Preces Espíritas

sem as quais o que suporta não tem proveito para si, pois será obrigado a recomeçar a prova. É, pois, em direção a esse objetivo que é preciso dirigir nossos esforços, seja pedindo aos bons Espíritos em favor dele, seja levantando-lhe o moral pelos seus conselhos e encorajamentos, seja também auxiliando-o materialmente, se for possível. A prece, neste caso, também tem um efeito direto, dirigindo sobre a pessoa, por quem é feita, uma corrente fluídica com o objetivo de lhe fortalecer o ânimo.[35]

Prece

Meu Deus, cuja bondade é infinita, dignai-vos em suavizar a amargura da situação de ..., se assim for a vossa vontade.

Bons Espíritos, em nome de Deus Todo-Poderoso, eu vos suplico para ampará-lo(a) nas suas aflições. Se, no seu interesse, elas não puderem lhe ser poupadas, fazei-o(a) compreender que elas são necessárias para

---

35. Veja *O Evangelho Segundo o Espiritismo*, de Allan Kardec, Caps. 5:5, 27; e 27:6, 10. São Paulo: Petit Editora (N.E.).

o seu adiantamento. Dai-lhe a confiança em Deus e no futuro e elas se tornarão menos amargas. Dai-lhe também a força de não se entregar ao desespero, que lhe faria perder os frutos do seu sofrimento e tornaria sua posição futura ainda mais difícil. Conduzi meu pensamento até ele(a), e que eu o(a) ajude a manter sua coragem.

Ação de graças por um benefício concedido aos outros

Instrução Preliminar

Aquele que não é dominado pelo egoísmo alegra-se com o bem do seu próximo, mesmo quando não o tenha solicitado pela prece.

Prece

Meu Deus, sede bendito pela felicidade que chegou a ...

Bons Espíritos, fazei que nisso ele(a) sinta uma felicidade, um efeito da bondade de Deus. Se o bem que lhe chega é uma prova, inspirai-lhe o pensamento de fazer um

Coletânea de Preces Espíritas

bom uso e de não tirar vantagem disso, a fim de que esse bem não resulte em seu prejuízo para o futuro.

Vós, meu bom Espírito que me protegeis e desejais minha felicidade, afastai de mim todo o sentimento de inveja e de ciúme.

Por nossos inimigos e por aqueles que nos querem mal

Instrução Preliminar

Jesus disse: *Amai aos vossos inimigos*. Neste ensinamento, estão contidas a maior grandeza e a perfeição da caridade cristã. Mas Jesus não diz que tenhamos pelos nossos inimigos a mesma ternura que temos pelos nossos amigos. Ele nos diz, neste ensinamento, para esquecer as ofensas e lhes perdoar o mal que nos façam e lhes retribuir, com o bem, o mal que nos hajam feito. Além do mérito que isso resulta aos olhos de Deus, mostra aos olhos dos homens o que é a verdadeira superioridade.[36]

---

36. Veja *O Evangelho Segundo o Espiritismo*, de Allan Kardec, Cap. 12:3 e 4. São Paulo: Petit Editora (N.E.).

Prece

Meu Deus, eu perdôo a ... o mal que me fez e o que quis me fazer, como desejo que me perdoeis e que ele(a) também me perdoe pelos erros que eu possa ter cometido. Se o(a) colocastes no meu caminho como uma prova, que vossa vontade seja feita.

Senhor, meu Deus, desviai de mim a idéia de o maldizer e de todo o desejo malévolo contra ele(a). Fazei com que eu não sinta nenhuma alegria com as infelicidades que o(a) possam atingir, nem inveja pelos benefícios que ele(a) receber, a fim de não manchar minha alma com pensamentos indignos de um cristão.

Senhor, que vossa vontade possa, ao estender-se sobre ele(a), conduzi-lo(a) a melhores sentimentos para comigo!

Bons Espíritos, inspirai-me o esquecimento do mal e a lembrança do bem. Que nem o ódio, nem o rancor, nem o desejo de pagar-lhe o mal com o mal penetrem no meu coração, pois o ódio e a vingança são próprios só dos maus Espíritos, encarnados e desencarnados! Que, ao contrário, eu esteja pronto para lhe estender a mão fraterna, ao lhe pagar o mal com o bem, e auxiliá-lo(a), se isso estiver ao meu alcance!

Desejo, para provar a sinceridade de minhas palavras, que a ocasião de lhe ser útil me seja dada; mas, meu Deus, preservai-me de fazê-lo por orgulho ou vaidade, impondo-lhe uma generosidade humilhante, o que me faria perder o fruto de minha ação, porque, nesse caso, eu mereceria que essas palavras do Cristo me fossem aplicadas: Já recebestes a vossa recompensa.[37]

Ação de graças pelo bem concedido aos nossos inimigos

Instrução Preliminar

Não desejar o mal aos seus inimigos é ser caridoso apenas pela metade. A verdadeira caridade consiste em lhes desejar o bem e que nos sintamos felizes com o bem que lhes acontece.[38]

---

37. Veja *O Evangelho Segundo o Espiritismo*, de Allan Kardec, Cap. 13:1 e seguintes. São Paulo: Petit Editora (N.E.).
38. *Idem*, Cap. 12:7 e 8. São Paulo: Petit Editora (N.E.).

Prece

Meu Deus, em vossa justiça, decidistes alegrar o coração de ... Eu vos agradeço por ele(a), apesar do mal que ele(a) me fez ou que procurou fazer. Se ele(a) se aproveitar disso para me humilhar, eu o aceitarei como uma prova para a minha caridade.

Bons Espíritos que me protegeis, não deixeis que eu sinta por isso nenhum desgosto. Desviai de mim a inveja e o ciúme que rebaixam. Inspirai-me, ao contrário, a generosidade que eleva. A humilhação está no mal e não no bem, e sabemos que, cedo ou tarde, a justiça será feita a cada um, segundo suas obras.

Pelos inimigos do Espiritismo

Bem-aventurados os que estão famintos de justiça, pois serão saciados.

Bem-aventurados os que sofrem perseguição por amor à justiça, pois é deles o reino dos Céus.

Sereis felizes quando os homens vos amaldiçoarem, vos perseguirem, e disserem falsamente todo o mal contra vós, por minha causa. Alegrai-vos, então, pois uma grande recompensa vos está reservada nos Céus, pois é assim que perseguiram os profetas enviados antes de vós. (Mateus, 5:6, 10 a 12)

Não temais por aqueles que matam o corpo, mas não podem matar a alma; mas, antes, temei aquele que pode perder a alma e o corpo no inferno. (Mateus, 10:28)

Instrução Preliminar

De todas as liberdades, a mais inviolável é a de pensar, que compreende também a liberdade da consciência. Amaldiçoar aqueles que não pensam como nós é reclamar essa liberdade só para si, e recusá-la aos outros é violar o primeiro mandamento de Jesus: o da caridade e do amor ao próximo. Persegui-los, por causa de sua crença, é atentar contra o direito mais sagrado que todo homem tem de acreditar no que lhe convém, e de adorar a Deus como ele o entenda. Obrigá-los a atos exteriores semelhantes aos nossos é mostrar que nos apegamos mais à exterioridade do que à essência, às aparências mais do que à convicção. Impor uma crença a alguém nunca deu a fé. Ela pode apenas fazer fingidos, falsos crentes. É um abuso da força material que não prova a verdade. *A verdade é segura de si mesma: convence e não persegue, porque não tem necessidade disso.*

O Espiritismo é hoje uma religião, mas, se ele fosse somente uma opinião ou uma crença, por que não se teria a liberdade de dizer-se espírita como se tem a de se dizer católico, judeu ou protestante? De ser partidário desta ou daquela doutrina filosófica, deste ou daquele sistema econômico? Uma crença pode ser falsa ou verdadeira. Se o Espiritismo for uma crença falsa, cairá por si mesmo, pois o erro não pode prevalecer contra a verdade quando a luz se faz nas inteligências, e, se é verdadeiro, nenhuma perseguição o tornará falso.

A perseguição é o batismo de toda idéia nova, grande e justa; ela cresce com a grandeza e a importância da idéia. A perseguição e a cólera dos inimigos da idéia são proporcionais ao temor que ela lhes

Coletânea de Preces Espíritas

inspira. Foi por esta razão que o Cristianismo foi perseguido outrora e que o Espiritismo o é hoje, entretanto, com uma diferença: o Cristianismo foi perseguido pelos pagãos, enquanto o Espiritismo o é pelos cristãos. O tempo das perseguições sangrentas passou, é verdade, mas se não se mata mais o corpo, tortura-se a alma; ataca-se até mesmo os sentimentos mais íntimos nas afeições mais queridas. Lança-se a desunião nas famílias, joga-se a mãe contra a filha, a mulher contra o marido; ataca-se até mesmo o corpo em suas necessidades materiais, ao tirar às criaturas o seu ganha-pão para dominá-las pela fome.[39]

Espíritas, não vos aflijais com os golpes com que vos tentarão atingir; eles só provam que estais com a verdade. Caso contrário, vos deixariam tranqüilos e não vos perseguiriam. É uma prova para vossa fé, visto que é pela vossa coragem, pela vossa

---

39. Veja *O Evangelho Segundo o Espiritismo*, de Allan Kardec, Cap. 23:9 e seguintes. São Paulo: Petit Editora (N.E.).

resignação e pela vossa perseverança que Deus vos reconhecerá entre os seus fiéis servidores, dos quais faz hoje a contagem para dar a cada um a parte que lhe cabe, segundo suas obras.

A exemplo dos primeiros cristãos, orgulhai-vos ao carregar a vossa cruz. Acreditai na palavra do Cristo, que disse: *Bem-aventurados os que sofrem perseguição por amor à justiça, pois é deles o reino dos Céus. Não temais os que matam o corpo, mas que não podem matar a alma*. Ele também disse: *Amai aos vossos inimigos, fazei o bem àqueles que vos fazem mal e orai por aqueles que vos perseguem*. Mostrai que sois seus verdadeiros discípulos e que vossa doutrina é boa, ao fazer o que Ele disse e o que exemplificou.

A perseguição será temporária. Esperai, pacientemente, o romper da aurora, pois a estrela da manhã já se mostra no horizonte.[40]

---

40. Veja *O Evangelho Segundo o Espiritismo*, de Allan Kardec, Cap. 24:13 e seguintes. São Paulo: Petit Editora (N.E.).

Prece

Senhor, vós nos dissestes nas palavras de Jesus, vosso Messias: Bem-aventurados os que sofrem perseguição por amor à justiça; perdoai aos vossos inimigos; orai por aqueles que vos perseguem. *E Ele mesmo nos mostrou o caminho ao orar por seus martirizadores.*

Seguindo o exemplo de Jesus, Meu Deus, suplicamos vossa misericórdia para aqueles que desconhecem vossas divinas leis, as únicas que podem assegurar a paz neste mundo e no outro. Como o Cristo, nós também dizemos: Perdoai-lhes, Pai, pois eles não sabem o que fazem.

Dai-nos a força para suportar com paciência e resignação suas zombarias, injúrias, calúnias e perseguições como provas de nossa fé e de nossa humildade; desviai-nos de todo o pensamento de vingança, pois a hora de vossa justiça chegará para todos, e nós a esperaremos ao nos submeter à vossa santa vontade.

Prece por uma criança que acaba de nascer

Instrução Preliminar

Os Espíritos apenas chegam à perfeição após terem passado pelas provas da vida corporal. Aqueles que estão na erraticidade esperam que Deus lhes permita retomar uma existência que deve lhes proporcionar um meio de adiantamento, seja pela expiação de suas faltas passadas, por meio das eventualidades da vida às quais ficarão submetidos, seja ao executar uma missão útil à Humanidade. Seu adiantamento e sua felicidade futura serão proporcionais à maneira pela qual empreguem o tempo que devem passar na Terra. O encargo de guiar-lhe seus primeiros passos e de dirigi-los em direção ao bem é confiado a seus pais, que responderão diante de Deus pela maneira como terão cumprido seu mandato. Foi para facilitar a execução disso que Deus fez do amor paternal e do amor filial uma lei da Natureza, que nunca será violada impunemente.

Coletânea de Preces Espíritas

Prece (para os pais)

Espírito que estais encarnado no corpo de nosso filho, sede bem-vindo entre nós. Deus Todo-Poderoso que o enviastes, sede bendito.

É um depósito que nos é confiado e do qual deveremos prestar contas um dia. Se ele pertence à nova geração de bons Espíritos que devem povoar a Terra, obrigado, Senhor meu Deus, por esta graça! Se é uma alma imperfeita, nosso dever é ajudá-la a progredir no caminho do bem pelos nossos conselhos e pelos nossos bons exemplos. Se cair no mal, por nosso erro, responderemos diante de vós, visto que não teremos cumprido nossa missão junto dele.

Senhor, sustentai-nos na nossa tarefa e dai-nos a força e a vontade de cumpri-la. Se esta criança deve ser um motivo de provas para nós, que vossa vontade seja feita!

Bons Espíritos que a orientastes para o nascimento, e que deveis acompanhá-la durante a vida, não a abandoneis. Afastai dela os maus Espíritos que tentarão levá-la a praticar o mal. Dai-lhe a força para resistir

Allan Kardec

*às suas sugestões e a coragem para su-
portar com paciência e resignação as provas
que a esperam na Terra.*[41]

Prece (outra)

*Meu Deus, vós me confiastes a sorte
de um de vossos Espíritos; fazei, Senhor, com
que seja digno da tarefa que me impusestes.
Concedei-me vossa proteção. Iluminai minha
inteligência, a fim de que eu possa perceber,
desde cedo, as tendências daquele que devo
preparar para alcançar a vossa paz.*

Prece (outra)

*Bondoso Deus, permitiste que o Espírito
desta criança voltasse novamente às provas
terrenas destinadas a fazê-lo progredir; dá-lhe
a luz, a fim de que aprenda a te conhecer, a
amar e a adorar. Faze, pelo teu poder, que
esta alma se regenere na fonte de tuas divinas instruções; que, sob a proteção de
seu anjo guardião, sua inteligência cresça,*

---

41. Veja *O Evangelho Segundo o Espiritismo*, de Allan
Kardec, Cap. 14:9. São Paulo: Petit Editora (N.E.).

se desenvolva, e a faça desejar aproximar-se cada vez mais de ti. Que a ciência do Espiritismo seja a luz brilhante que a iluminará nas dificuldades da vida; que ela, enfim, saiba apreciar toda a extensão de teu amor, que nos submete a provas para nos purificar.

Senhor, lança um olhar paternal sobre a família à qual confiaste esta alma, para que ela possa compreender a importância de sua missão, e faze germinar nesta criança as boas sementes, até o dia em que ela possa, por suas próprias aspirações, se elevar sozinha até ti.

Digna-te, meu Deus, atender esta humilde prece em nome e pelos méritos d'Aquele que disse: Deixai vir a mim as criancinhas, pois o reino dos Céus é para aqueles que a elas se assemelham.

Por um agonizante

Instrução Preliminar

A agonia é o início da separação da alma do corpo. Pode-se dizer que, nesse momento, o homem tem um pé neste mundo e um no outro. Essa passagem é às vezes difícil para aqueles que se prendem à matéria e viveram mais apegados aos bens deste mundo do que aos do Espírito, ou cuja consciência está agitada pelos desgostos e remorsos. Ao contrário, para aqueles cujos pensamentos elevaram-se em direção ao Infinito e se desligaram da matéria, os laços são menos difíceis de romper e, neste caso, os últimos momentos na vida terrena nada têm de dolorosos. A alma está ligada ao corpo apenas por um fio, enquanto, no outro caso, prende-se a ela por grossas amarras. Em todos os casos, a prece exerce uma poderosa ação benéfica no momento do desencarne.[42]

Prece

Deus poderoso e misericordioso, eis aqui uma alma que está prestes a deixar o seu corpo para retornar ao mundo dos Espíritos, sua verdadeira pátria. Que o possa fazer

---

42. Veja o Capítulo 5. Consulte também *O Céu e o Inferno*, 2ª parte, Cap. 1, A passagem. Rio de Janeiro: FEB (N.E.).

Coletânea de Preces Espíritas

em paz. Que vossa misericórdia se estenda sobre ela.

Bons Espíritos que a acompanhastes na Terra, não a abandoneis neste momento supremo. Dai-lhe a força para suportar os últimos sofrimentos que ela deva passar na Terra para seu adiantamento futuro. Inspirai-a, para que ela se arrependa de suas faltas nos últimos clarões de inteligência que lhe restam, ou que possa vir a ter momentaneamente.

Dirigi meu pensamento, de modo a tornar-lhe menos difícil o trabalho da separação, para que, ao deixar a Terra, ela leve consigo as consolações da esperança.

4
Preces pelos desencarnados

Por alguém que acaba de desencarnar

Instrução Preliminar

As preces pelos Espíritos que acabam de deixar a Terra não têm somente como objetivo dar-lhes um testemunho de simpatia; objetivam também ajudar no seu desligamento e, com isso, atenuar a perturbação que sempre se segue à separação e tornando-lhes mais calmo o despertar. Neste caso, porém, como em outras circunstâncias, a eficiência da prece está na sinceridade do

Coletânea de Preces Espíritas

pensamento, e não na quantidade de palavras ditas com maior ou menor vigor e, das quais, muitas vezes, o coração não toma nenhuma parte.

As preces que vêm do coração se fazem ouvir em torno do Espírito, cujas idéias ainda estão confusas, como vozes amigas que nos vêm despertar do sono.[43]

Prece

Deus Todo-Poderoso, que vossa misericórdia se estenda sobre a alma de ..., que acabais de chamar para vós. Possam as provas que enfrentou na Terra lhe serem consideradas, e nossas preces suavizar e encurtar as penas que ele(a) ainda tenha que suportar na Espiritualidade!

Bons Espíritos que o(a) viestes receber e, principalmente, vós que sois seu anjo guardião, ajudai-o(a) a livrar-se da matéria; dai-lhe a luz e a consciência de si mesmo(a), a fim de tirá-lo(a) da perturbação que acontece quando da passagem da vida corporal

---

43. Veja *O Evangelho Segundo o Espiritismo*, de Allan Kardec, Cap. 27:10. São Paulo: Petit Editora (N.E.).

à vida espiritual. Inspirai-lhe o arrependimento das faltas que tenha cometido e o desejo que lhe seja permitido repará-las, para apressar seu adiantamento em direção à eterna bem-aventurança.

..., acabas de reentrar no mundo dos Espíritos e, apesar disso, estás aqui presente entre nós; tu nos vês e nos ouves, pois apenas deixaste o corpo material, que logo será reduzido a pó.

Deixaste a capa grosseira da carne, sujeita às adversidades e à morte, e apenas conservaste o corpo etéreo, imperecível e inacessível aos sofrimentos da Terra. Já não vives mais pelo corpo, vives a vida do Espírito, e essa vida está isenta das misérias que afligem a Humanidade.

Não tens mais o véu que oculta aos nossos olhos os esplendores da vida futura. Podes, agora, apreciar as novas maravilhas, ao passo que nós ainda estamos mergulhados nas trevas.

Vais percorrer o espaço e visitar os mundos com inteira liberdade, enquanto nós

Coletânea de Preces Espíritas

rastejaremos penosamente na Terra, onde nosso corpo material nos retém, semelhante para nós a um fardo pesado.

O horizonte do Infinito vai se desenrolar diante de ti e, na presença de tanta grandeza, compreenderás o vazio, o nada de nossos desejos terrenos, de nossas ambições materiais e das alegrias fúteis às quais os homens se entregam.

A morte é, para os homens, não mais do que uma separação material de alguns instantes. Do exílio, onde ainda nos retêm a vontade de Deus e os deveres que temos a cumprir na Terra, nós te seguiremos pelo pensamento, até o momento em que nos seja permitido nos reunirmos, como tu estás reunido com aqueles que te precederam.

Se não podemos ir até onde estás, tu podes vir até nós. Vem, até os que te amam e que tu amas; ampara-os nas provas da vida; vela pelos que te são queridos. Protege-os segundo o teu poder; suaviza-lhes os desgostos pelo pensamento de que estás mais feliz agora, e dando-lhes a consoladora *certeza de que estarão um dia reunidos a ti num mundo melhor.*

No mundo em que estás, todos os ressentimentos terrenos devem se extinguir. Que possas, de agora em diante, para a tua felicidade futura, estar inacessível a isso! Perdoa, pois, àqueles que não foram justos para contigo, como te perdoam aqueles junto aos quais procedeste mal.

Tratando-se de uma criança, o Espiritismo nos ensina que não é um Espírito de criação recente, mas um que já viveu e que pode já ser bem adiantado. Se sua última existência foi curta, é que ela era apenas um complemento da prova, ou devia ser uma prova para os pais.[44]

Nota. *Podem-se acrescentar a esta prece, que se aplica a todos, algumas palavras especiais segundo as circunstâncias particulares de família ou das relações, bem como a posição do falecido.*

---

44. Veja *O Evangelho Segundo o Espiritismo*, de Allan Kardec, Cap. 5:21. São Paulo: Petit Editora (N.E.).

Coletânea de Preces Espíritas

Prece* (outra)

Senhor Todo-Poderoso, que vossa misericórdia se estenda sobre nosso irmão que acaba de deixar a Terra! Que vossa luz brilhe a seus olhos! Tirai-o das trevas; abri seus olhos e seus ouvidos! Que vossos bons Espíritos o envolvam e lhe façam ouvir as palavras de paz e de esperança!

Senhor, por mais indignos que sejamos, ousamos implorar vossa misericordiosa indulgência em favor deste nosso irmão que acaba de ser chamado do exílio; fazei com que seu retorno seja o do filho pródigo. Perdoai, meu Deus, as faltas que possa ter cometido, para vos lembrardes somente do bem que haja feito. Vossa justiça é imutável, nós o sabemos, mas vosso amor é imenso. Nós vos suplicamos para apaziguar a vossa justiça por essa fonte de bondade que emana de vós.

---

* Esta prece foi ditada a um médium de Bordeaux, no momento em que passava, diante de suas janelas, o enterro de um desconhecido.

Que a luz se faça para vós, meu irmão, que acabais de deixar a Terra! Que os bons Espíritos do Senhor desçam até vós, vos rodeiem e vos ajudem a sacudir as vossas correntes terrenas! Compreendei e vede a grandeza do Nosso Senhor: submetei-vos, sem murmurar, à sua justiça, mas não desacrediteis nunca da sua misericórdia. Irmão! Que um sério exame do vosso passado vos abra as portas do futuro, ao vos fazer compreender as faltas que deixastes atrás de vós e o trabalho que vos resta fazer para repará-las! Que Deus vos perdoe e que seus bons Espíritos vos sustentem e vos encorajem! Vossos irmãos da Terra orarão por vós e vos pedem para orar por eles.

Pelas pessoas a quem tivemos afeição

Instrução Preliminar

Como é horrível a idéia do nada! Como devemos lastimar aqueles que acreditam que a voz do amigo que chora a falta de seu amigo perde-se no vazio e não encontra nenhum eco para lhe responder! Estes que

Coletânea de Preces Espíritas

pensam que tudo morre com o corpo desconhecem as afeições autênticas, sinceras
e sagradas; os que pensam que o gênio
que iluminou o mundo com sua vasta inteligência é uma combinação de células de matéria, que se extingue para sempre como
um sopro; que do ser mais querido, um pai,
uma mãe ou um filho adorado apenas res-
tará um pouco de pó que o tempo dissipará
para sempre!

Como um homem de coração pode
continuar frio a esse pensamento? Como
a idéia de um aniquilamento absoluto não
o gela de pavor e não lhe faz, ao menos,
desejar que não seja assim? Se até então
sua razão não lhe bastou para tirar suas
dúvidas, eis que o Espiritismo vem eliminar
toda a incerteza sobre o futuro, por meio
das provas materiais que dá da sobrevi-
vência da alma e da existência dos seres de
além-túmulo. Tanto assim é que, em todos
os lugares, essas provas são recebidas
com alegria; a confiança renasce, pois o
homem sabe que, de agora em diante, a
vida terrena é apenas uma curta passagem

que conduz a uma vida melhor; que seus trabalhos da Terra não estão perdidos para ele, e que as mais santas afeições não são desfeitas sem mais esperanças.[45]

Prece

Dignai-vos, Senhor, meu Deus, a acolher favoravelmente a prece que vos dirijo pelo Espírito de ...; fazei-lhe sentir vossas divinas luzes e tornai-lhe fácil o caminho da felicidade eterna. Permiti que os bons Espíritos levem até ele(a) minhas palavras e meu pensamento.

Tu, que me foste tão querido(a) neste mundo, escuta minha voz que te chama para te dar uma prova da minha afeição. Deus permitiu que tu fosses libertado primeiro; eu não devo me lamentar, seria egoísmo; seria ver-te, ainda, sujeito às penalidades e aos sofrimentos da vida. Espero, com resignação, o momento de nos juntarmos no mundo mais feliz onde tu chegaste antes.

---

45. Veja *O Evangelho Segundo o Espiritismo*, de Allan Kardec, Cap. 4:18 e 5:21. São Paulo: Petit Editora (N.E.).

Sei que nossa separação é apenas tem-porária, e, por mais longa que ela possa me parecer, sua duração se apaga diante da feli-cidade eterna que Deus promete aos eleitos. Que sua bondade me preserve de fazer algo que possa retardar esse instante desejado, e que assim me poupe a dor de não te en-contrar ao sair de meu cativeiro terreno.

Como é doce e consoladora a certeza de que há entre nós apenas um véu material que te oculta à minha vista! Que podes estar aqui, ao meu lado, a me ver e a me ouvir como antigamente, e melhor ainda que anti-gamente, que não me esqueças mais e que eu mesmo não te esqueça; que nossos pen-samentos não parem de se confraternizar, e que o teu me siga e me sustente sempre.

Que a paz do Senhor esteja contigo!

Pelas almas sofredoras que pedem preces

Instrução Preliminar

Para compreender o alívio que a prece pode proporcionar aos Espíritos sofredores, é preciso saber como ela atua, como já foi dito anteriormente.[46] Aquele que compreende esta verdade ora com mais fervor pela certeza de não orar em vão.

Prece

Deus clemente e misericordioso, que vossa bondade se estenda sobre todos os Espíritos que se recomendam às nossas preces e especialmente sobre a alma de ...

Bons Espíritos, que tendes no bem sua única ocupação, rogai comigo para alívio deles. Fazei luzir aos seus olhos um raio de esperança, e que a divina luz os ilumine quanto às imperfeições que os afastam da morada dos felizes. Abri seus corações ao arrependimento e ao desejo de se purificarem para apressar seu adiantamento. Fazei-os compreender que, por seus esforços, podem encurtar o tempo de suas provas.

Que Deus, em sua bondade, lhes dê a força de perseverar em suas boas resoluções!

---

46. Veja *O Evangelho Segundo o Espiritismo*, de Allan Kardec, Cap. 27:9, 18 e seguintes. São Paulo: Petit Editora (N.E.).

Coletânea de Preces Espíritas

Que estas palavras benevolentes possam suavizar suas penas, ao lhes mostrar que há na Terra seres que deles se compadecem e que desejam sua felicidade.

Prece (outra)

Nós vos rogamos, Senhor, para espalhar sobre todos os que sofrem, seja no espaço, como Espíritos errantes, seja entre nós, como Espíritos encarnados, as graças de vosso amor e de vossa misericórdia. Tende piedade de nossas fraquezas. Vós nos fizestes falíveis, mas nos destes a força para resistir ao mal e vencê-lo. Que vossa misericórdia se estenda sobre todos os que não puderam resistir às suas más inclinações e que ainda são arrastados pelo caminho do mal. Que vossos bons Espíritos os envolvam; que vossa luz brilhe aos seus olhos, e que, atraídos por vosso calor que reanima, venham se curvar a vossos pés, humildes, arrependidos e submissos.

Nós vos pedimos igualmente, Pai de Misericórdia, por aqueles nossos irmãos que não tiveram forças para suportar suas provas terrenas. Vós nos destes um fardo a carregar,

Senhor, e o devemos depositar apenas a vossos pés; mas nossa fraqueza é grande e, algumas vezes, a coragem nos falta no caminho. Tende piedade desses servidores indolentes que abandonaram a obra antes do tempo; que vossa justiça os ampare e permita aos vossos bons Espíritos lhes trazer o alívio, as consolações e a esperança do futuro. O caminho do perdão é fortificante para a alma; mostrai-o, Senhor, aos culpados que desesperam e, sustentados por essa esperança, reunirão forças na própria grandeza de suas faltas e de seus sofrimentos para resgatar seu passado e se preparar para conquistar o futuro.

Por um inimigo morto

Instrução Preliminar

A caridade para com nossos inimigos deve segui-los ao além-túmulo. É preciso pensar que o mal que nos fizeram foi para nós uma prova que pode ser útil ao nosso adiantamento, se soubermos tirar proveito disso. Ela pode ainda nos ser

Coletânea de Preces Espíritas

mais proveitosa do que as aflições puramente materiais, pelo fato de nos ter permitido juntar, à coragem e à resignação, a caridade e o esquecimento das ofensas.[47]

Prece

Senhor, vós que chamastes antes de mim a alma de ... Eu lhe perdôo o mal que me fez e as más intenções que teve para comigo. Possa ele(a) disso se arrepender, agora que não tem mais ilusões deste mundo.

Que vossa misericórdia, meu Deus, se estenda sobre ele(a), e afastai de mim o pensamento de me alegrar com sua morte. Se tive faltas para com ele(a), que me perdoe, como eu perdôo as que cometeu para comigo.

Por um criminoso

Instrução Preliminar

Se a eficiência das preces fosse proporcional à extensão delas, as mais longas

---

47. Veja *O Evangelho Segundo o Espiritismo*, de Allan Kardec, Cap. 10:6 e 12:5 e 6. São Paulo: Petit Editora (N.E.).

deveriam ser reservadas para os mais culpados, pois têm mais necessidade do que aqueles que viveram virtuosamente. Recusá-las aos criminosos é deixar de ter caridade e desconhecer a misericórdia de Deus; acreditá-las inúteis, porque um homem teria cometido este ou aquele erro, é prejulgar a justiça do Altíssimo.[48]

Prece

Senhor, Deus de Misericórdia, não abandoneis este criminoso que acaba de deixar a Terra; a justiça dos homens pôde atingi-lo, mas não o isentou da vossa, se seu coração não foi tocado pelo remorso.

Tirai a venda que lhe oculta a gravidade de suas faltas; possa seu arrependimento encontrar graças diante de Vós e aliviar os sofrimentos de sua alma! Possam também nossas preces e a intervenção dos bons Espíritos lhe trazer a esperança e a consolação; lhe inspirar o desejo de reparar suas más

---

48. Veja *O Evangelho Segundo o Espiritismo*, de Allan Kardec, Cap. 11:14. São Paulo: Petit Editora (N.E.).

ações em uma nova existência e lhe dar a força de não fracassar nas novas lutas que empreenderá!

Senhor, tende piedade dele!

Por um suicida

Instrução Preliminar

O homem jamais tem o direito de dispor de sua própria vida, porque cabe somente a Deus tirá-lo do cativeiro terreno quando o julga oportuno. Todavia, a justiça divina pode suavizar seus rigores em virtude das circunstâncias, mas reserva toda a sua severidade para aquele que quis se subtrair às provas da vida. O suicida é como o prisioneiro que foge da prisão antes de cumprir a sua condenação, e que, quando é recapturado, é tratado severamente. Assim acontece com o suicida, que acredita escapar das misérias presentes, e mergulha em infelicidades maiores.[49]

---

49. Veja *O Evangelho Segundo o Espiritismo*, de Allan Kardec, Cap. 5:14 e seguintes. São Paulo: Petit Editora (N.E.).

Prece

Sabemos, Senhor, meu Deus, o destino reservado àqueles que violam vossas leis ao encurtar voluntariamente seus dias; mas sabemos também que vossa misericórdia é infinita: dignai-vos estendê-la sobre a alma de ... Possam nossas preces e vossa piedade suavizar a amargura dos sofrimentos que suporta por não ter tido a coragem de esperar o fim de suas provas!

Bons Espíritos, cuja missão é ajudar aos infelizes, tomai-o sob vossa proteção, inspirai-lhe o arrependimento por sua falta, e que vossa assistência lhe dê a força para suportar com mais resignação as novas provas que terá de passar para repará-la. Afastai dele os maus Espíritos que poderiam levá-lo novamente para o mal e prolongar seus sofrimentos, fazendo-o perder o fruto de suas futuras provas.

Vós, cuja infelicidade é o motivo das nossas preces, que possa nossa compaixão suavizar a amargura e fazer nascer em vós a esperança de um futuro melhor! Esse futuro está em vossas mãos; confiai-vos à bondade de Deus, cujos braços sempre estão abertos a todos os arrependimentos, e só permanecem fechados aos corações endurecidos.

Pelos Espíritos arrependidos

Instrução Preliminar

Seria injusto colocar na categoria dos maus Espíritos os sofredores e arrependidos que pedem preces. Podem ter sido maus, mas não o são mais a partir do momento que reconhecem suas faltas e as lamentam: são apenas infelizes, alguns até mesmo começam a gozar de uma felicidade relativa.

Prece

Deus de Misericórdia, que aceitais o arrependimento sincero do pecador, encarnado ou desencarnado, eis um Espírito que tinha prazer em praticar o mal, mas que reconhece seus erros e entra no bom caminho; dignai-vos, meu Deus, a recebê-lo como um filho pródigo e perdoar-lhe.

Bons Espíritos cuja voz ignorou, ele quer vos escutar de agora em diante; permiti-lhe entrever a felicidade dos eleitos do Senhor, a fim de que persista no desejo de se purificar para alcançá-la; sustentai-o em suas boas resoluções e dai-lhe a força para resistir aos seus maus instintos.

Espírito de ..., nós te felicitamos por tua modificação e agradecemos aos bons Espíritos que te ajudaram!

Se no passado tinhas prazer em fazer o mal, é que não compreendias o quanto é doce a alegria de fazer o bem; também te sentias indigno para alcançá-lo. Mas, desde o instante em que colocaste o pé no bom caminho, uma nova luz se fez para ti; começaste a experimentar uma felicidade desconhecida, e a esperança entrou em teu coração. É que Deus sempre escuta a prece do pecador arrependido; Ele não recusa nenhum daqueles que O buscam.

Para entrar completamente na graça do Senhor, esforça-te de agora em diante para não mais praticar o mal, mas em fazer o bem e em reparar o mal que fizeste; então, terás

*satisfeito a justiça de Deus; as tuas boas
ações apagarão as tuas faltas passadas.*

*O primeiro passo está dado; agora,
quanto mais avançares, mais o caminho parecerá fácil e agradável. Continua, pois, e um
dia terás a glória de estar entre os bons Espíritos, os Espíritos bem-aventurados.*

Pelos Espíritos endurecidos

Instrução Preliminar

Os maus Espíritos são aqueles que
ainda não foram tocados pelo arrependimento; que se satisfazem no mal e disso
não sentem nenhum arrependimento, são
insensíveis às censuras, recusam a prece
e muitas vezes blasfemam contra o nome
de Deus. Essas são almas endurecidas que,
após a morte, se vingam nos homens dos
sofrimentos que suportam, e perseguem
com seu ódio àqueles a quem detestaram
durante a sua vida, pela obsessão ou por
uma influência maléfica qualquer.[50]

---

50. Veja *O Evangelho Segundo o Espiritismo*, de Allan
Kardec, Caps. 10:6; e 12:5 e 6. São Paulo: Petit Editora (N.E.).

Entre os Espíritos perversos, há duas categorias bem distintas: os que são francamente maus e os que são hipócritas. Os primeiros são bem mais fáceis de conduzir ao bem que os segundos. São muitas vezes de natureza bruta e grosseira, como se vê entre os homens que fazem o mal mais pelo instinto do que de propósito e não procuram se fazer passar por melhores do que são. Há neles um gérmen adormecido que é preciso fazer despertar, o que se consegue quase sempre por meio da perseverança, da firmeza unida à benevolência, pelos conselhos, pelo raciocínio e pela prece. Nas comunicações mediúnicas, a dificuldade que têm para escrever ou pronunciar o nome de Deus é o indício de um temor instintivo, de uma voz íntima da consciência que lhes diz que são indignos; aqueles que estão nessa fase estão prestes a se converter, e pode-se esperar tudo deles: basta encontrar o ponto vulnerável nos seus corações.

Já os Espíritos hipócritas são quase sempre muito inteligentes e não têm no

Coletânea de Preces Espíritas

coração nenhuma fibra sensível; nada os toca; simulam todos os bons sentimentos para captar a confiança e ficam felizes quando encontram tolos que os aceitam como santos Espíritos e a quem podem governar à vontade. O nome de Deus, longe de lhes inspirar o menor temor, lhes serve de máscara para cobrir suas maldades. No mundo invisível, como no mundo visível, os hipócritas são os seres mais perigosos, pois agem na sombra, e deles não se desconfia. Apenas aparentam ter fé, mas não a fé sincera.

Prece

Senhor, dignai-vos a lançar um olhar de bondade aos Espíritos imperfeitos que ainda estão nas trevas da ignorância e vos desconhecem, e especialmente sobre o de ...

Bons Espíritos, ajudai-nos a lhe fazer compreender que, ao induzir os homens ao mal, ao obsediá-los e ao atormentá-los, ele prolonga seus próprios sofrimentos; fazei com que o exemplo da felicidade que desfrutais seja um encorajamento para ele.

Espírito que te satisfazes ainda com o mal, vem ouvir a prece que fazemos por ti; ela te provará que desejamos te fazer o bem, embora faças o mal.

És infeliz, pois é impossível ser feliz fazendo o mal; por que permanecer sofrendo quando depende de ti deixar de sofrer? Olha os bons Espíritos que te cercam; vê como são felizes. Não seria mais agradável para ti desfrutar da mesma felicidade?

Dirás que isso é impossível, mas nada é impossível àquele que quer, pois Deus te deu, como a todas as suas criaturas, a liberdade de escolher entre o bem e o mal, ou seja, entre a felicidade e a infelicidade. Ninguém está condenado a fazer o mal; se tens a vontade de fazê-lo, podes também ter a de fazer o bem e de ser feliz.

Volta teus olhos para Deus; eleva somente por um instante até Ele teu pensamento, e um raio de sua divina luz virá te iluminar. Dize conosco estas simples palavras: Meu Deus, eu me arrependo, perdoai-me. *Experimenta o arrependimento e faze o bem ao invés de fazer o mal, e verás que logo a*

Coletânea de Preces Espíritas

sua misericórdia se estenderá sobre ti e que um bem-estar desconhecido virá substituir as angústias que experimentas.

Uma vez que tiveres dado um passo no bom caminho, o resto dele te parecerá fácil. Compreenderás, então, quanto tempo perdeste de felicidade devido à tua falta. Porém, um futuro radioso e cheio de esperança se abrirá diante de ti, e esquecerás teu miserável passado, cheio de problemas e torturas morais, que seriam para ti o inferno se devessem durar eternamente. Chegará o dia em que essas torturas serão tão terríveis que, a qualquer preço, pedirás para fazê-las cessar; quanto mais demorares para decidir, mais isso te será difícil.

Não acredites que ficarás sempre no estado em que te achas. Não, isso é impossível; tens diante de ti dois caminhos: um é o de sofreres muito mais do que sofres agora, o outro é o de seres feliz como os bons Espíritos que estão ao redor de ti. O primeiro é inevitável, se persistires na tua teimosia; um simples esforço de tua vontade basta para te livrar do mal que te aflige. Apressa-te, pois, *porque cada dia de atraso é um dia perdido para a tua felicidade.*

Bons Espíritos, fazei com que estas palavras encontrem acolhida junto a essa alma ainda atrasada, a fim de que a ajudem a se aproximar de Deus. Nós vos pedimos em nome de Jesus Cristo, que teve um grande poder sobre os Espíritos maus.

5
Preces pelos doentes e obsediados

Pelos doentes

Instrução Preliminar

As doenças fazem parte das provas e das adversidades da vida terrena; elas fazem parte da imperfeição de nossa natureza material e da inferioridade do mundo que habitamos. As paixões e os excessos de toda ordem semeiam em nós os germens doentios, muitas vezes hereditários. Nos mundos mais avançados física e moralmente, o organismo dos seres, mais puro e menos material, não está sujeito às mesmas enfermidades, e o corpo não é minado silenciosamente pelas paixões devastadoras.[51] É preciso, pois, se resignar em sofrer as conseqüências do meio em que nos coloca nossa inferioridade, até que tenhamos mérito para alcançar situação melhor. Isso não deve nos impedir de fazer o que depender de nós para melhorar nossa posição atual; mas, se, apesar de nossos esforços, não pudermos fazê-lo, o Espiritismo nos ensina a suportar com resignação nossos males da vida na Terra.

Se Deus não quisesse que os sofrimentos corporais desaparecessem ou fossem suavizados em alguns casos, Ele não teria colocado à nossa disposição os meios de curá-los. Sua previdente bondade a esse respeito, em conformidade com o instinto de conservação, indica que é nosso dever procurar esses meios e aplicá-los.

Ao lado da medicação comum, elaborada pela Ciência, o magnetismo nos fez conhecer o poder da ação fluídica; mais

---

51. Veja *O Evangelho Segundo o Espiritismo*, de Allan Kardec, Cap. 3:9. São Paulo: Petit Editora (N.E.).

tarde, o Espiritismo veio nos revelar outra força poderosa na mediunidade curadora e a influência da prece.[52]

Prece (para o doente orar)

Senhor, sois todo justiça. A doença que me aflige, eu a devo merecer, visto que nunca há sofrimento sem causa. Entrego-me para minha cura à vossa infinita misericórdia; se for de vossa vontade me restituir a saúde, que vosso santo nome seja abençoado; se, ao contrário, ainda devo sofrer, que seja abençoado do mesmo modo; submeto-me sem lamentar às vossas divinas leis, pois tudo o que fazeis tem apenas por objetivo o bem de vossas criaturas.

Fazei, meu Deus, que esta doença seja para mim uma advertência salutar e me permita fazer uma análise sobre mim mesmo; aceito-a como uma expiação do passado e como uma prova para minha fé e minha submissão a vossa santa vontade.[53]

---

52. Veja adiante a notícia sobre a mediunidade curadora. (N.E.).
53. Veja no Capítulo 2, no tópico "Na previsão da morte próxima", o item "Instrução Preliminar" (N.E.).

Prece (pelo doente)

Meu Deus, vossas vontades são impenetráveis, e, em vossa sabedoria, entendestes que ... fosse atingido(a) pela doença. Lançai, eu vos suplico, um olhar de compaixão sobre seus sofrimentos e dignai-vos a colocar fim a isso.

Bons Espíritos, ministros do Todo-Poderoso, reforçai, eu vos peço, meu desejo de aliviá-lo(a); dirigi meu pensamento a fim de que vá derramar um bálsamo salutar sobre seu corpo e a consolação em sua alma.

Inspirai-lhe a paciência e a submissão à vontade de Deus; dai-lhe a força para suportar suas dores com resignação cristã, a fim de que não perca o fruto dessa prova. [54]

Prece (para o médium curador)

Meu Deus, se vos dignardes servir-vos de mim, mesmo indigno como sou, posso curar este sofrimento, se essa é vossa vontade, pois tenho fé em Vós; mas sem Vós

---

54. Veja no Capítulo 3, no tópico "Por um agonizante", o item "Instrução Preliminar" (N.E.).

não sou nada. Permiti aos bons Espíritos me transmitam os fluidos salutares, a fim de que eu os possa doar a este doente, e desviai de mim todo pensamento de orgulho e de egoísmo que poderia alterar a pureza desta ação.

Pelos obsediados

Instrução Preliminar

A obsessão é a ação continuada que um mau Espírito exerce sobre um indivíduo. Apresenta características muito diversas, desde a simples influência moral, sem sinais exteriores que se percebam, até a completa perturbação do organismo e das faculdades mentais. Ela obstrui todas as faculdades mediúnicas. Na mediunidade psicográfica, isto é, da escrita, ela se traduz pela teimosia de um Espírito em se manifestar, não permitindo que outros se manifestem.

Ao redor da Terra, há grande quantidade de maus Espíritos, devido à inferioridade moral dos seus habitantes. Sua ação maléfica faz parte dos flagelos dos quais a

Allan Kardec

Humanidade é o alvo na Terra. A obsessão, como as doenças, e como todas as tribulações da vida, deve, pois, ser considerada como uma prova ou uma expiação, e aceita como tal.

Da mesma forma que as doenças são o resultado das imperfeições físicas que tornam o corpo acessível às más influências exteriores, a obsessão é sempre o resultado de uma imperfeição moral que dá acesso a um Espírito mau. A uma causa física se opõe uma força física; a uma causa moral é preciso opor uma força moral. Para se preservar das doenças, fortifica-se o corpo; para se garantir contra a obsessão, é preciso fortificar a alma; daí, para o obsediado, a necessidade de trabalhar a sua própria melhoria, o que muitas vezes basta para livrá-lo do obsessor, sem o socorro de pessoas estranhas. Esse socorro torna-se necessário quando a obsessão degenera em subjugação[55] e em

---

55. **Subjugação:** dominação profunda. A vítima perde a vontade própria (N.E.).

Coletânea de Preces Espíritas

possessão[56], porque, o paciente perde, por vezes, a vontade e o livre-arbítrio.

A obsessão é quase sempre o resultado de uma vingança exercida por um Espírito e que muitas vezes tem sua origem nas relações que o obsediado teve com ele em uma existência anterior.[57]

Nos casos de obsessão grave, o obsediado está como que envolvido e impregnado por um mau fluido que neutraliza a ação dos fluidos salutares e os repele. É desse fluido que é preciso livrá-lo; mas um mau fluido não pode ser repelido por um igualmente mau. Por uma ação idêntica à do médium curador nos casos de doenças, é preciso expulsar o fluido mau com a ajuda de um fluido bom, que produz de certo modo o efeito semelhante ao de um

---

56. Possessão: a vítima perde o domínio total da vontade e das ações e passa a agir sob o comando do obsessor (veja *O Livro dos Médiuns*, Cap. 23, e *O Livro dos Espíritos*, Cap. 9, item 3. São Paulo: Petit Editora) (N.E.).

57. Veja *O Evangelho Segundo o Espiritismo*, de Allan Kardec, Cap. 10:6; e 12:5 e 6. São Paulo: Petit Editora (N.E.).

reagente. Essa é a ação mecânica, mas não é suficiente; é preciso também, e sobretudo, *agir sobre o ser (Espírito) inteligente,* com o qual é preciso falar com autoridade, e essa autoridade só é dada pela superioridade moral; quanto maior ela for, maior será a autoridade.

Ainda não é tudo. Para assegurar a libertação, é preciso levar o Espírito perverso a renunciar às suas más intenções; é preciso fazer nele nascer o arrependimento e o desejo do bem, com a ajuda de instruções habilmente dirigidas, nas evocações particulares feitas visando à sua educação moral. Então, pode-se ter a dupla satisfação de libertar um encarnado e de converter um Espírito imperfeito.

A tarefa torna-se mais fácil quando o obsediado, ao compreender sua situação, colabora com boa vontade e com suas preces. Dá-se o contrário quando o obsediado, seduzido pelo Espírito enganador, ilude-se pelas qualidades daquele que o domina e se satisfaz no erro onde este último o

Coletânea de Preces Espíritas

lança; então, longe de ajudar, recusa toda assistência. É o caso da fascinação[58], sempre mais difícil de resolver do que a subjugação mais violenta.

Em todos os casos obsessivos, a prece é o mais poderoso auxiliar na ação de esclarecimento do Espírito obsessor.[59]

Prece (para o obsediado orar)

Meu Deus, permiti aos bons Espíritos me libertarem do Espírito maléfico que se ligou a mim. Se é uma vingança que ele exerce pelos males que eu lhe tenha feito no passado, vós o permitis, meu Deus, para minha punição, e eu suporto a conseqüência da minha falta. Possa meu arrependimento merecer vosso perdão e minha libertação! Mas, qualquer que seja o seu motivo, imploro para ele a vossa misericórdia; dignai-vos facilitar-lhe o caminho do progresso que o desviará do pensamento

---

58. Fascinação: obsessão irresistível. Ilusão profunda (N.E).
59. Consulte *O Livro dos Médiuns*, Cap. 23. São Paulo: Petit Editora (N.E.).

Allan Kardec

de fazer o mal. Possa eu, de minha parte, retribuir-lhe o mal com o bem e conduzi-lo a melhores sentimentos.

Mas também sei, meu Deus, que são as minhas imperfeições que me tornam acessível às influências dos Espíritos imperfeitos. Dai-me a luz necessária para reconhecê-las; combatei, em mim, o orgulho que me cega em relação aos meus defeitos.

Como ainda sou imperfeito, uma vez que um ser maléfico pôde me escravizar!

Fazei, meu Deus, com que este golpe desferido em minha vaidade me sirva de lição para o futuro; que me fortaleça na resolução que tomo de me purificar pela prática do bem, da caridade e da humildade, a fim de opor, de agora em diante, uma barreira às más influências.

Senhor, dai-me forças para suportar com paciência e resignação, sem lamentações, esta prova que, como todas as outras, deve servir para o meu adiantamento, uma vez que me dá a ocasião de mostrar minha submissão e de exercer minha caridade para *com um irmão infeliz, ao lhe perdoar o mal que me tenha feito.*[60]

Prece (pelo obsediado)

Deus Todo-Poderoso, dignai-vos de me dar o poder de livrar ... do Espírito que o obsedia; se está na vossa vontade pôr fim a esta prova, concedei-me a graça de falar, com autoridade, a esse Espírito.

Bons Espíritos, que me assistis, e vós, anjo guardião de ..., prestai-me vossa colaboração; ajudai-me a livrá-lo(a) do fluido impuro com o qual está envolvido(a).

Em nome de Deus Todo-Poderoso, eu ordeno ao Espírito malévolo e atormentador que se retire.

Prece (pelo Espírito obsessor)

Deus infinitamente bom, eu imploro vossa misericórdia para o Espírito que obsedia ...,

---

60. Veja *O Evangelho Segundo o Espiritismo*, de Allan Kardec, Cap. 12:5 e 6, São Paulo: Petit Editora; e neste livro, no Capítulo 2, o tópico "Para afastar os maus Espíritos", e no Capítulo 3, o tópico "Por nossos inimigos e por aqueles que nos querem mal" (N.E.).

Allan Kardec

fazei-lhe entrever as divinas luzes, a fim de que veja o falso caminho que está trilhando. Bons Espíritos, ajudai-me a fazê-lo compreender que tem tudo a perder ao fazer o mal, e tudo a ganhar ao fazer o bem.

Espírito que vos satisfazeis em atormentar ..., escutai-me, pois eu vos falo em nome de Deus.

Se quiserdes refletir, compreendereis que o mal não pode se impor sobre o bem, e que não podeis ser mais forte do que Deus e os bons Espíritos.

Eles poderiam preservar ... de todo golpe de vossa parte; se não o fizeram, foi porque tinha uma prova a suportar. Mas quando essa prova tiver acabado, vos tirarão toda ação sobre ele; o mal que lhe fizestes, ao invés de prejudicá-lo, servirá para o seu adiantamento, e com isso somente será mais feliz; assim, vossa maldade terá sido em vão, e se voltará contra vós.

Deus, que é Todo-Poderoso, e os Espíritos superiores, seus mensageiros, que são mais poderosos do que vós, poderão, pois, colocar fim a essa obsessão quando

Coletânea de Preces Espíritas

o quiserem, e vossa insistência se quebrará diante dessa suprema autoridade. Mas porque Deus é bom, quer vos deixar o mérito de cessá-la por vossa própria vontade. É uma oportunidade que vos é concedida; se não a aproveitardes, sofrereis as suas dolorosas conseqüências; grandes castigos e cruéis sofrimentos vos esperam; sereis forçados a implorar sua piedade e as preces da vossa vítima, que já vos perdoou e ora por vós, o que é um grande mérito aos olhos de Deus e apressará a libertação dela.

Refleti, enquanto ainda há tempo, visto que a justiça de Deus se abaterá sobre vós como sobre todos os Espíritos rebeldes. Pensai que o mal que fazeis neste momento terá forçosamente um fim, enquanto, se persistirdes em vossa teimosia, vossos sofrimentos aumentarão sem cessar.

Quando estivestes na Terra, não teríeis achado absurdo sacrificar um grande bem por uma pequena satisfação momentânea? Ocorre o mesmo agora que sois Espírito. Que ganhais com o que fazeis? O triste prazer de atormentar alguém, o que não vos impede

127

Allan Kardec

de ser infeliz, e que, por mais que afirmeis o contrário, vos tornará mais infeliz ainda.

Ao lado disso, vede o que perdeis: olhai os bons Espíritos que vos rodeiam, e vede se sua sorte não é preferível à vossa? A felicidade de que desfrutam será também vossa quando o quiserdes. O que é preciso para isso? Implorar a Deus, e fazer o bem ao invés de fazer o mal. Sei que não podeis vos transformar de repente; mas Deus não pede o impossível; o que Ele quer é a boa vontade. Tentai, e nós vos ajudaremos. Fazei com que logo possamos dizer em vosso favor a prece pelos Espíritos arrependidos[61] e não mais vos colocar na categoria dos maus Espíritos, ao esperar que possais estar entre os bons.[62]

Obs: A cura das obsessões graves requer muita paciência, perseverança e devotamento. Exige também tato e habilidade para conduzir ao bem Espíritos freqüentemente muito perversos, endurecidos

---

61. Veja no Capítulo 4, no tópico "Pelos Espíritos arrependidos", o item "Instrução Preliminar" (N.E.).
62. Veja no Capítulo 4, no tópico "Pelos Espíritos endurecidos", o item "Instrução Preliminar" (N.E.).

Coletânea de Preces Espíritas

e astuciosos, e entre eles há os que são rebeldes em último grau. Na maior parte dos casos, é preciso se guiar conforme as circunstâncias; mas, qualquer que seja o caráter do Espírito, um fato é certo: não se obtém nada pela violência ou ameaça; toda influência está na ascendência moral. Uma outra verdade, igualmente constatada pela experiência, assim como pela lógica, *é a completa ineficiência dos exorcismos, fórmulas, palavras sacramentais, amuletos, talismãs, práticas exteriores ou sinais materiais quaisquer.*

A obsessão, quando muito prolongada, pode ocasionar desequilíbrios na saúde, e, por vezes, requer um tratamento simultâneo ou consecutivo, seja magnético ou médico, para restabelecer a saúde do organismo. A causa sendo destruída, resta combater os efeitos.[63]

---

63. Consulte *O Livro dos Médiuns*, Cap. 23, Obsessão. São Paulo: Petit Editora. E a *Revista Espírita*, edições de fevereiro e março de 1864, abril de 1865: Exemplos de curas de obsessões. Rio de Janeiro: FEB (N.E.).

CAMPANHA
Evangelho no Lar

FINALIDADES

A prática e o estudo contínuo do Evangelho no Lar têm a finalidade de:

Unir as criaturas, proporcionando uma convivência de paz e tranqüilidade.

Higienizar o lar com nossos pensamentos e sentimentos elevados, permitindo facilitar o auxílio dos mensageiros do bem.

Proporcionar no lar, e fora dele, o fortalecimento necessário para enfrentar dificuldades materiais e espirituais, mantendo ativos os princípios da oração e da vigilância.

Elevar o padrão vibratório dos familiares, a fim de que possam contribuir para a construção de um mundo melhor.

SUGESTÕES

Escolha uma hora e um dia
da semana em que seja possível a
presença de todos da família, ou
daqueles que desejarem participar.

A observação cuidadosa da
hora e do dia estabelece um
compromisso de pontualidade
com a espiritualidade, garantindo
a assistência espiritual.

A duração da reunião
pode ser de trinta minutos
aproximadamente, ou mais,
dependendo de cada família.

Não suspender a prática do
Evangelho em virtude de visitas,
passeios adiáveis ou
acontecimentos fúteis.

Providenciar uma jarra
com água para fluidificação,
para ser servida no final
da reunião.

ROTEIRO

1. Prece inicial
Pai-Nosso ou uma prece simples
e espontânea, valorizando os
sentimentos e não as palavras,
solicitando a direção divina
para a reunião.

2. Leitura
Leitura em seqüência de um
trecho de *O Evangelho Segundo
o Espiritismo*, começando na primeira
página, incluindo prefácio,
introdução e notas.

3. Comentários
Devem ser breves, esclarecer e
facilitar a compreensão dos
ensinamentos e de sua aplicação
na vida diária.

4. Vibrações
Fazer vibrações é emitir sentimentos
e pensamentos de amor, paz e
harmonia, obedecendo a este
roteiro básico e acrescentando as
vibrações particulares, de acordo
com as necessidades.

Em tranqüila serenidade e confiantes
no Divino Amigo Jesus, vibremos:

Pela paz na Terra/
pelos dirigentes de todos os países/
pelo nosso Brasil/pelos nossos
governantes/pelos doentes do corpo
e da alma/pelos presidiários/
pelas crianças/pelos velhinhos/
pela juventude/pelos que se
acham em provas dolorosas/
pela expansão do Evangelho/
pela confraternização entre as religiões/
pelo nosso local e companheiros de
trabalho/pelos nossos vizinhos/
pelos nossos amigos e inimigos/
pelo nosso lar e nossos
familiares e por nós mesmos.
Graças a Deus.

5. Prece final
Pai-Nosso ou uma prece espontânea
de agradecimento, solicitando a
fluidificação da água e convidando
os amigos espirituais para a reunião
da próxima semana.

Allan Kardec

O Evangelho Segundo o Espiritismo
O livro espírita mais vendido agora disponível em moderna tradução: linguagem acessível a todos, leitura fácil e agradável, notas explicativas.

Disponível em três versões:
- **Brochura** (edição normal)
- **Espiral** (prático, facilita seu estudo)
- **Bolso** (fácil de carregar)

O Livro dos Espíritos
Agora, estudar o Espiritismo ficou muito mais fácil. Nova e moderna tradução, linguagem simples e atualizada, fácil leitura, notas explicativas.

Disponível em três versões:
- **Brochura** (edição normal)
- **Espiral** (prático, facilita seu estudo)
- **Bolso** (fácil de carregar)

O Livro dos Médiuns
Guia indispensável para entender os fenômenos mediúnicos, sua prática e desenvolvimento, tradução atualizada. Explicações racionais, fácil entendimento, estudo detalhado.

Disponível em duas versões:
- **Brochura** (edição normal)
- **Espiral** (prático, facilita seu estudo)

Coletânea de Preces Espíritas
Verdadeiro manual da prece. Orações para todas as ocasiões: para pedir, louvar e agradecer a Deus. Incluindo explicações e orientações espirituais.
- **Edição de Bolso**

Leia e recomende!
À venda nas boas livrarias espíritas e não espíritas.

Um bate-papo sincero e verdadeiro sobre diversos temas

Nada escapa à curiosidade dessas crianças!

Temas delicados, como sofrimento, suicídio, espiritismo e reencarnação, são tratados de uma forma bastante diferenciada nesta obra de Manolo Quesada. Por meio de perguntas e respostas, no melhor tom de bate-papo, o autor responde às perguntas e inquietações de suas netas, garotas muito curiosas e antenadas com as novidades do dia a dia.

Sucesso da Petit Editora!

**Londres, século 19.
Nos primórdios do Espiritismo,
uma história envolvente.**

**O amor
cura tudo.**

George, homem rico e respeitado, conhece o lado sombrio de Londres quando sai em busca de Helen, sua única filha. A jovem vai de encontro ao perigo – sob influência de um espírito perverso – e encontra-se às portas da morte. No entanto, o sol voltará a brilhar no horizonte de sua vida...

Sucesso da Petit Editora!

A felicidade não é um destino, mas um caminho.

Um verdadeiro convite para estarmos abertos aos momentos oportunos que a vida nos oferece

Apoiado em conhecidos textos bíblicos, significativas passagens das obras básicas de Allan Kardec e pensadores em geral, o autor convida a todos a ter uma postura de reflexão e mudança perante sua existência terrena. O objetivo é um só: progredir, melhorar e evoluir.

Sucesso da Petit Editora!

Às vezes não temos outra escolha a não ser tentar novamente

Preparando para voltar à Terra...

Essa obra traz para o leitor a temática da reencarnação com muita sensibilidade, já que o autor espiritual nos apresenta esse tema destituído de todo o misticismo que costuma cercá-lo e o revela com toda a graça divina. Prestes a reencarnar, Maneco está angustiado por não saber como será recebido pela família na Terra nem as contas que terá de acertar para resgatar seus erros e faltas de existências passadas.

Lançamento da Petit Editora!

Você já descobriu a sua luz interior?

Vidas que se entrelaçam; oportunidades e chances que são oferecidas a todos.

Quando as pessoas são surpreendidas pelo desencarne de uma pessoa querida é comum que entrem em desespero. Não foi diferente com Raul, um dos personagens centrais desse romance, que conhece o fundo do poço quando sua jovem esposa parte dessa existência terrena vítima de uma doença fatal. Encontros, esperança, novas oportunidades... Todos nós temos uma luz interior capaz de nos reerguer.

Sucesso da Petit Editora!

Será a realidade apenas um mundo de ilusões?

Uma dramática e surpreendente história de amor

Um romance de época, que se passa na Rússia, no fim do século 19, em pleno regime czarista. Quando Sasha recebe uma carta que mudará completamente sua vida, já na idade adulta, ele descobre ser também possuidor do divino dom da mediunidade, e passa a vivenciar incríveis experiências na mansão que acabara de herdar.

Sucesso da Petit Editora!

Novo e emocionante romance de Antonio Demarchi e José Florêncio

O que você faria por amor?

Carlos Alberto desperta depois de atravessar um longo período de inconsciência. Percebe, porém, que perdeu a memória: não reconhece os familiares e nem se recorda do que ocorreu... Durante o sono, perdido em divagações, vê um retrato que lhe recorda uma grande paixão e, ao mesmo tempo, o faz sentir angústia e sofrimento, além do fato de um nome não lhe sair do pensamento: Sabrina. Quem é Sabrina? Qual o mistério que envolve seu acidente?

Mais um sucesso da Petit Editora

O sétimo selo já foi quebrado!

Você está preparado para o Apocalipse?

O sétimo selo foi rompido, "os tempos são chegados", alertam os espíritos de luz. Os acontecimentos previstos no Apocalipse de João se desencadeiam. A corrupção, a violência, a perversidade envolvem as nações. Cataclismos se delineiam no horizonte das almas: estamos às portas de grandes transformações. Mundo de sofrimento, a Terra se prepara para se transformar em planeta de regeneração, do qual as trevas serão banidas – a Nova Jerusalém, anunciada por Jesus.

Mais um sucesso da Petit Editora